ŻYD POLSKI – ŻOŁNIERZ POLSKI
(1939–1945)
POLISH JEW – POLISH SOLDIER

With best wishes
Julian Bussgang

Żydowski Instytut Historyczny
im. Emanuela Ringelbluma
Warszawa 2010

The Emanuel Ringelblum
Jewish Historical Institute
Warsaw 2010

Reprint publikacji ze zbiorów Żydowskiego Instytutu Historycznego w Warszawie: /
Reprint of the book from the collection of the Jewish Historical Institute in Warsaw:

Żyd Polski – Żołnierz Polski (1939–1945)
[opr.] H. Schlesinger, St. Borkowski
Wyd. Szef. Duszpasterstwa Wyzn. Mojżeszowego 2. Korpusu [Włochy 1945]

Do tekstu oryginalnego przypisy opracowali: / Footnotes to the original text prepared by:
Magdalena Prokopowicz, Julian Bussgang, Eleonora Bergman
Przekład i redakcja tekstu angielskiego / Translation and editing of English text
Julian Bussgang
Przypisy / Footnotes:
Julian Bussgang, Magdalena Prokopowicz, Eleonora Bergman

Redakcja całości / Overall editing
Eleonora Bergman

Projekt graficzny okładki / Cover design
Tomasz Lec

Opublikowano dzięki dotacji / Published thanks to a grant by
The American Society for Jewish Heritage in Poland, New York

ISBN 978-83-61850-32-8

Od wydawcy

Ta mała książeczka o polskich Żydach żołnierzach walczących w Wojsku Polskim w czasie drugiej wojny światowej znalazła się w naszej bibliotece wiele lat temu.

Odkąd przeczytałam ją po raz pierwszy, marzyło mi się, aby udostępnić ją szerszej publiczności, nie zawsze świadomej udziału polskich Żydów w walkach o wolność Polski. Publikujemy ją teraz w siedemdziesiątą pierwszą rocznicę niemieckiej inwazji na Polskę i początku tych walk.

Mam uczucie ogromnej wdzięczności dla Juliana i Fay Bussgangów, wieloletnich przyjaciół Instytutu i także moich osobistych przyjaciół, za to, że z własnej inicjatywy podjęli się trudu przetłumaczenia tej książeczki na język angielski. Całe zadanie wymagało naszej szczególnej współpracy, którą udało nam się osiągnąć. Jestem głęboko wdzięczna za to znakomite doświadczenie.

Staraliśmy się, aby w miarę możności przekład angielski przypominał układem oryginał. Jednak od razu zorientowaliśmy się, że współczesny czytelnik powinien otrzymać dodatkowe informacje. Co więcej, nie zawsze polskiemu czytelnikowi potrzebne są te same wyjaśnienia co angielskiemu. Tak więc obydwie wersje różnią się liczbą i objętością przypisów. Zdecydowaliśmy poza tym, że nie będziemy dokonywać żadnych zabiegów na tekście polskim, który jest tu wyłącznie reprodukowany; przypisy odsyłają do odpowiedniej strony i wiersza.

Dziękuję Magdalenie Prokopowicz, która pomogła rozpocząć pracę nad przekładem. Przygotowany przez nią materiał do przypisów oraz jej uwagi redakcyjne okazały się bardzo pomocne przy opracowaniu tej publikacji.

I wreszcie, dziękuję Nancy Brumm i Amerykańskiemu Stowarzyszeniu na rzecz Dziedzictwa Żydowskiego w Polsce za pomoc finansową, dzięki której ta publikacja może się ukazać.

Eleonora Bergman
Dyrektor Żydowskiego Instytutu Historycznego

Editor's Note

This small booklet about Polish Jews fighting as soldiers in the Polish Army during the Second World War sat in our library for many years. For me, from the time I first read this extraordinary publication, it became a kind of dream to make it known to the wider public, which has generally been unaware of the participation of Jews in the struggle for the freedom of Poland. We are publishing it during the year in which we commemorate the seventy first anniversary of the German invasion of Poland and the beginning of this struggle.

I am immensely grateful to Julian and Fay Bussgang, long-time friends of the Institute, and also my personal friends, for their having, on their own initiative, translated this booklet into English. The task of combining these two versions into one book required our very special cooperation, which we managed to achieve. I am deeply thankful for this wonderful experience.

We tried to make the translation resemble the original as much as possible. From the very beginning we realized, however, that some additional information would be needed for the contemporary reader and, moreover, not exactly the same information for Polish speakers as for English speakers. Therefore, the number and content of the footnotes are not the same in both languages. We also decided not to alter the original text but only to reproduce it. Thus the footnotes for the Polish text are at the end of the document and refer only to their appropriate page and line.

I want to thank Magdalena Prokopowicz for her assistance with this project. Her work on the footnotes and her editorial remarks have been useful throughout the whole process.

Finally, I wish to thank Nancy Brumm and the American Society for Jewish Heritage in Poland in New York whose funding made this publication possible.

Eleonora Bergman
Director, Jewish Historical Institute

ŻYD POLSKI– ŻOŁNIERZ POLSKI

Żyd Polski–
Żołnierz Polski

(1939 — 1945).

H. SCHLESINGER

ST. BORKOWSKI

WYD. SZEF. DUSZPASTERSTWA WYZN. MOJŻESZOWEGO
2. KORPUSU

Nakładem: Oddziału Kultury i Prasy 2. Korpusu

Tłoczone: Drukarnia Polowa 2 Korpusu W. P.

Słowo wstępne
Naczelnego Rabina 2. Korpusu.

Pogrążony w smutku, z głębokim wzruszeniem, lecz równocześnie z wielką dumą wypuszczam w świat tę książeczkę.

W myśl słów biblijnych „el hagal haze w'eeda hammacewa" — niechaj będzie ona pomnikiem, po wieczne czasy opowiadającym przyszłym pokoleniom, o bohaterstwie i waleczności żołnierzy-Żydów w tej najokropniejszej, najkrwawszej i najbardziej bezlitosnej ze wszystkich wojen.

Jako potomkowie naszych bohaterskich Hasmonejczyków, żołnierze-Żydzi wierni pozostali wielkiemu przykładowi i nie bacząc na grożące niebezpieczeństwo — spełniali w pełni swój obowiązek.

Im wszystkim tak zmarłym, jak i żyjącym, oficerom i szeregowym, lekarzom i sanitariuszom — niechaj będzie tenże zbiór wyrazem najwyższej pochwały i najgłębszego podziękowania za ich sumienne spełnianie obowiązków.

Nigdy nie zapomnimy tych, którzy złożyli swe życie w walce z nowoczesnym Hamanem, by uratować świat i ludzkość od zagłady. —

St. rabin dr Natan RÜBNER
Szef Duszpast. Wyzn. Mojżesz.
2. Korpusu —

Włochy, jesień 1945. —

JISKOR

BOŻE WIEKUISTY!

TY, KTÓRY KRÓLUJESZ W NIEBIOSACH, OTA-
CZAJ MIŁOSIERDZIEM I LITOŚCIĄ, DUSZE PO-
LEGŁYCH I ZMARŁYCH NASZYCH. BŁAGAMY
CIĘ, BOŻE ŚWIĘTY, O WIECZNY SPOKÓJ ICH
DUSZ. NIECHAJ BĘDĄ PRZYJĘCI DO RAJU,
TAM, GDZIE SPOCZYWAJĄ WSZYSCY POBOŻNI
I SPRAWIEDLIWI, TAM NA WYSOKOŚCIACH
NIEBIOS NIECHAJ BĘDĄ U TWEGO BOKU ZA
SWOJE ZASŁUGI, POŁOŻONE W WALCE PRZE-
CIW BARBARZYŃSTWU I O POSTĘP I WOL-
NOŚĆ LUDZKOŚCI.

AMEN.

,,... Mniejszości narodowe w Polsce cieszyć się będą pełnym równouprawnieniem. Będą miały nie tylko obowiązki, ale i prawa na równi z ludnością polską. Szczególną uwagę poświęci Rząd obywatelom narodowości żydowskiej, która poniosła w walce z okupantami największe i najboleśniejsze straty, a ktćra umiała nie tylko cierpieć, ale i walczyć z Niemcami czego dowodem obrona Getha w Warszawie w r. 1943. Ponawiając wyrazy współczucia dla prześladowanych i słowa potępienia dla katów, Rząd oświadcza, że zgodnie z wielokrotnymi oświadczeniami — wszelkie niemieckie przepisy skierowane przeciw Żydom w Polsce, są bezprawne i nie obowiązujące. Rząd dołoży wszelkich starań, by w miarę możności naprawić zło spowodowane przez niemieckich barbarzyńców i przywrćcić sytuację zgodną z najlepszymi tradycjami tolerancji polskiej".

(Wyjątek z przemówienia premiera Rządu R.P. T. Arciszewskiego w Radzie Narodowej).

HUGO SCHLESINGER

Spełniony obowiązek

(Na marginesie walk Żyda - żołnierza polskiego).

Motto :

Kto chce zdobyć swoje swobodne życie, ten je zdobędzie. Ale za swoje swobodne życie trzeba umieć bez żałości umierać. Śmierć za swobodne życie stokroć jest lepsza, niż podłe życie w niewoli. Taka śmierć to już jest swobodne życie.

S. ŻEROMSKI

... I jeszcze jeden rozdział historii żydostwa polskiego, pisany krwawymi literami został zamknięty. Pozostają tylko smutne, serce raniące wspomnienia. Tragizm okresu lat 1939-1945 jest tak wielki, że trudno przedstawić sobie, że człowiek potrafił przetrzymać wszystko to, co Żyd polski przecierpiał. Zawsze jednak stał na straży WOLNOŚCI i HONORU. Od pierwszej chwili, od 1 wrzesnia 1939, Żyd polski gdziekolwiek by nie było, rozpoczął swą bezkompromisową walkę: walkę z barbarzyńskim najeźdzcą w imię największego i najświętszego ideału : SPRAWIEDLIWOŚCI. Walczył każdy: na frontach czy w podziemiach, w mundurze żołnierskim czy w cywilu, mężczyzna i kobieta, inteligent i robotnik — wszyscy zjednoczeni, bez jakichkolwiek różnic, tocząc gigantyczną walkę, walkę o wolność i lepsze, sprawiedliwsze Jutro...

Jeszcze raz zadany zostaje cios kłamstwu. Powołujemy się i powoływać się będziemy na tę wspaniałą kartę naszych dziejow, jak na dokument szlachectwa duchowego. Gdy ktoś zarzuci nam stare, dobrze nam znane oszczerstwo antysemickie, że Żydzi są narodem skarłowaciałym, że są tchórzliwi i niezdolni do obrony swej godności orężem w ręku — odeprzemy to powołaniem się na wspaniały i bohaterski czyn ghetta warszawskiego, wskażemy dumnie setki nazwisk oficerów i szeregowych Żydów — żołnierzy polskich, którzy walczyli z innymi ramię przy ramieniu, począwszy od kampanii wrześniowej, na polach bitew Francji, Norwegii, Afryki, Włoch i Niemiec. Wskażemy na mogiły znanych i nieznanych żołnierzy żydowskich. Wspomnimy tysiące tych, którzy obdarci i boso, jako żołnierze Żydowskiej Organizacji Bojowej w Polsce, krwią swoją znaczyli ulice i mury kamienic nalewkowskich, by z honorem ginąć na placu boju. Opowiadać będziemy z wypiekami na twarzy o Klepfiszu, Lubetkinównej i innych, o uliczkach, placach, kamienicach i balkonach ghetta, z których rzucało się butelki z benzyną na tanki niemieckie, o dachach z których biły żydowskie kule na stada rozwydrzonych hitlerowców. Z dumą wspominać będziemy tych, którzy przechodzili niewolę i znów stanęli w szeregach walczących, tych dla których nie istniały granice krajów i ochotniczo zgłaszali się by dać daninę swej krwi na ołtarzu WIELKIEJ SPRAWY. Cmentarze na Monte Cassino, Loreto, czy w Belgii głosić będą na wsze czasy nazwiska tych, z których jesteśmy i będziemy dumni.

Żyd polski spełnił swój obowiązek. Obowiązek, który stał się nakazem historycznym: żyć w walce, hartować się w ogniu walki, w morzu cierpień, krwi i łez.

Nie piszę tych słów by chełpić się lub wywyższać czyn żołnierza Żyda polskiego. Nie chcemy i nie potrzebujemy podziękowań. Nie o pochwały, laury lub odznaczenia nam chodzi. DUMNI tylko jesteśmy, że wkład nasz, wkład krwi i łez żydostwa polskiego stał się największą i najpotężniejszą daniną ze wszystkich narodów świata, walczących z bestialską nawałą hitlerowskiego barbarzyństwa.

Niniejszy zbiór niechaj uzmysłowi i przypomni każdemu bohaterski CZYN Żyda polskiego, który jest manifestem praw, uświęconych pracą i krwią własnych braci. Walczyli i ginęli oni w imię SPRAWIEDLIWOŚCI I WOLNOŚCI, wierząc przy tym niezłomnie w Wielką Polskę Demokracji — „w Polskę Mickiewicza" — w Polskę ideału.

Porto S. Giorgio, październik 1945.

Wrześniowe wspomnienia.

Proszono mnie o artykuł na temat wspólnej walki Polaków i Żydów w czasie wojny obecnej. Nie napiszę takiego artykułu. Można pisać o wspólnej walce Polaków i Brytyjczyków, Polaków i Jugosłowian, Polaków i Australczyków. Nie można pisać o wspólnej walce Polaków i Żydów polskich; to nie są dwa odrębne państwa, dwa samoistnie żyjące narody, które się ze sobą związały dla prowadzenia wojny. Polacy — chrześcijanie i Żydzi polscy są ludnością t e g o   s a m e g o   p a ń s t w a, a więc ich walka nie jest wspólną walką dwóch różnych sił, lecz j e d n ą i t ą s a m ą w a l k ą.

Walczyli na tej ziemi i w obronie tej samej ziemi; walczyli i walczą w takich samych mundurach, z tym samym białym orłem na furażerkach.

Byłoby, być może, obrazą dla Żyda-żołnierza polskiego opisywać jego „wspólną" walkę z Polakami — to było i jest coś znacznie więcej: to była i jest j e d n a i t a s a m a w a l k a. Byłoby zarazem krzywdą dla Polski widzieć co innego w żołnierzu polskim Polaku, a co innego w żołnierzu polskim Żydzie. To nie są sojusznicy, to są dokładnie t a c y s a m i żołnierze Rzeczypospolitej, aczkolwiek różni ich — ale nie dzieli — język ojczysty i wyznanie.

We wrześniu 1939 roku odsłoniły się w Polsce wszystkie prawdy, przysłonięte przedtem kłamstwem konwencjonalnym i kłamstwem oficjalnym; wszystko naraz objawiło swoją prawdziwą wartość.

Dostojnicy okryci gronostajami zapadli się w nicość i niesławę, za to blaskiem ofiarności i wytrwałości okazali się prości ludzie, nie szukający sławy, orderów, nagrody. Z zachodu, a potem i ze wschodu, waliły w Polskę pancerne dywizje. Prości ludzie przeżywali do głębi duszy ową wrześniową tragedię i na dnie serc znajdowali słowo, mocniejsze niż tanki:

Polska.

Każdy z nas napatrzył się w owym wrześniu, o, napatrzył. I każdy z nas zapamiętał ów wrzesień, każdą jego minutę, o, zapamiętał do końca życia.

Ze wspomnień wrześniowych kilka postaci odrywa się, gdy rozmyślam o Żydach polskich w owym ponuro-słonecznym wrześniu.

... Było to 8 września w miasteczku leżącym na widłach Wisły i Sanu. Od południa Niemcy. Od zachodu Niemcy. Od północy Niemcy. Słońce prażyło. Drogą przewalały się tłumy uchodźców, podążając za San. Przy drodze obmywał sobie obolałe nogi kapral Aron S., robotnik krawiecki, twardy, zawzięty, wymodlony socjalista, „bundowiec". Jeden z tych których wyrzeźbił żydowski ruch robotniczy — o mocnym poczuciu praw obywatelskich, robotniczych i żydowskich. Ani śladu „kompleksu mniejszej wartości". Uważał się za uprawnionego do zabierania głosu we wszystkich sprawach polskich i do współdecydowania na równi z robotnikiem Polakiem. Mocno przywiązany do języka żydowskiego i do osiągnięć żydowskiej kultury - - kochał zarazem gorąco swą polską ojczyznę.

Wywiązała się krótka urywana rozmowa (jak wszystkie rozmowy w owych dniach). Kapral S. wraz ze swym oddziałem wycofywał się z jednej z miejscowości fabrycznych Centralnego Okręgu Przemysłowego. Bronili ważnego obiektu fabrycznego przed lotnictwem niemieckim. Mieli tylko zwyczajne karabiny piechoty. Byli bezsilni, bezbronni, bezradni. Kapral S. opowiadał mi o tym i płakał.

Nie płakał nad sobą. Płakał nad tym losem, który się zwalił na polską ziemię. Nad tą straszliwą górą żelaza niemieckiego, która zwaliła się na niemal bezbronnych żołnierzy, mających w sercu odważnym wolę walki, a w ręku tylko karabin piechoty, prawie tyle co nic...

Dużo łez ludzkich widziałem w owym wrześniu. Nie sposób ich zapomnieć i nie zapomnę także szlochu rozpaczy Żyda, polskiego żołnierza.

W dziesięć dni później, w wiosce wołyńskiej ujrzałem nad sobą eskadrę samolotów z czerwonymi gwiazdami na skrzydłach. Płynęły powietrzem ze wschodu. To był najstraszniejszy ze wszystkich dni wrześniowych: zdawało się, że z dwóch stron zamyka się nad nami głaz grobowy. Pierwsze schronienie, łoże i strawę znaleźliśmy w domu wiejskiego krawca Żyda. Ugościł nieznanych mu przybyszów, których mózgi biły się z rzeczywistością nowej, podwójnej okupacji — z nocą, otwierającą się nad Polską.

Późnym wieczorem, przed ułożeniem się do snu, krawiec się rozgadał. Zaczął mówić o Polsce. Pochodził z Odessy, tam się zetknął po raz pierwszy z Polakami. — „Ja wtedy nie rozumiałem, dlaczego oni tak wciąż mówią: „jeszcze Polska nie zginęła", a później to ja zrozumiałem" — mówił mi nieporadnymi słowy wiejski krawiec, Żyd na Wołyniu.

Wojska sowieckie jeszcze nie weszły do wsi. W powietrzu wisiało niewiadome. W jesiennym mroku Żyd opowiadał, jak pojął polską wolę niepodległego bytu.

Z samolotów wrogich rozsypały się ulotki, głoszące koniec Polski. Żydowski krawiec wspominał odeskie lata swej młodości i Polaków, którzy wierzyli, że „nie zginęła". On to zapamiętał na całe życie. On to zrozumiał. On wiedział, że jest tak, jak w tej pieśni, a nie tak, jak w ulotkach.

Czas płynął, nadeszła zima. Późnym wieczorem szedłem boczną, ciemną, ulicą Lwowa. Z jakiejś bramy oderwała się niska, drobna, żydowska dziewczyna. Zatrzymała mnie, zajrzała w oczy: towarzysz Ciołkosz?

Nie znałem jej, ale ona mnie poznała. „Bundystka". Wyszeptała wiadomości o aresztowanych. A potem zapytała, czy mam mieszkanie; jeśli potrzebuję schronienia, oto adres. Mogę tam znaleźć dach nad głową, pomoc, bezpieczeństwo. Powiedziała co potrzeba i zniknęła w bramie, nie czekając na podziękowanie.

* * *

Gdzie jesteś dziś kapralu S.? Gdzie jesteś dziś, krawcze z małej wołyńskiej wioski! Gdzie jesteś, mała żydowska dziewczyno ze Lwowa? Ich życie nie było w Polsce różami usłane; ale nie było też beznadziejne. Wierzyli w siebie, ale wiedzieli zarazem, że mogą wierzyć w tę Polskę nie dygnitarską, Polskę prostych ludzi, Polskę prawdziwą.

Podaję tu jeszcze jedno wspomnienie. Wczesny ranek wrześniowy w chacie ukraińskiego chłopa, na ziemiach, na które wchodziła armia rosyjska. Młoda żydowska dziewczyna wypowiedziała wszystkie swe żale, wszystkie swe boleści. I naraz usłyszałem po tym wszystkim słowa: — „Są w Polsce porządni ludzie: PPS. Oni się biją w Warszawie".

Z tą samą namiętnością, z którą wylewała z siebie całą swą gorycz, za wszystkie doznane upokorzenia, z tym samym ogniem wyrzuciła z siebie pochwałę obrońców Warszawy.

Czy ta młoda Żydówka wołyńska żyje? Być może, zginęła z ręki tego samego najeźdzcy, z ręki którego ginęli obrońcy Warszawy. W tę samą ziemię Rzeczypospolitej wsiąkła krew Polaków — chrześcijan i Żydów.

To jest ta sama ziemia. Ta sama Ojczyzna. I dlatego nie mogę, nie potrafię pisać o „wspólnej" walce Polaków i Żydów polskich: to jest coś więcej; znacznie więcej. TO JEST TA SAMA WALKA.

Więc to też będzie jedno i to samo zwycięstwo: jednej, całej, niepodzielnej Polski. Zwycięstwo także i kaprala S., i tego wołyńskiego krawca, i tej lwowskiej dziewczyny.

Wspólną troską naszą będzie, ażeby także owa dziewczyna z Wołynia nigdy więcej nie miała słów goryczy w ustach, ani żalu w sercu. Naturalne jest, że to walczy żołnierz polski-Żyd. Ale to nie tylko jego sprawa. Wszyscy musimy o to walczyć, Polacy-chrześcijanie tak samo jak Żydzi. Żadnej ludzkiej krzywdy nie może być w Polsce oswobodzonej i odnowionej.

Miarą wielkości przyszłej Rzeczypospolitej będzie, czy ta żydowska dziewczyna w małej wiosce będzie się czuła wolnym, pełnoprawnym, szczęśliwym człowiekiem na równi z wszystkimi innymi.

Najgłębiej, najmocniej wierzę, że tak będzie.

(*Biuletyn*, rok II, nr 1. Teheran, styczeń 1944 r.)

Bohaterstwo żołnierzy - Żydów w armii polskiej.

Z prasy amerykańskiej.

Dziennik : „Der Tag" — New-York, nr 10937.

Londyn (ITA).

Generał Anders, Dowódca Armii Polskiej, wyraził się bardzo chwalebnie o bohaterstwie i męstwie żołnierzy Żydów w Armii Polskiej. Od czasu — powiedział Generał — kiedy Żydzi na Śr. Wschodzie opuścili szeregi, nie było więcej takiego wypadku. ŻYDZI BOHATER-SKO WALCZYLI na polu bitwy i wyróżnili się również na innych posterunkach w Armii.

Mówiąc o poległych oficerach i żołnierzach, Gen. Anders podkreślił, że pod jego dowództwem walczyło 838 żołnierzy-Żydów, w tym 132 oficerów. Poległo 27 żołnierzy i jeden oficer, zaś rannych było 51 żołnierzy i jeden oficer.

* * *

„The European Jewish Observer"

Londyn, dn. 9 lutego 1945 r.

Generał Marian Kukiel, polski minister Obrony Narodowej, opublikował w „The Jewish Bulletin" — wydany przez Oddział Religijny Ministerstwa Informacji, a współpracujący z biurem Naczelnego Rabina — artykuł, wychwalający bohaterskie czyny żydowskich oficerów i żołnierzy, oświadczając, że braterstwo broni świadczy dobrze o przyszłych stosunkach między Polakami i Żydami.

„Od pamiętnych dni września 1939 r. — oświadcza generał Kukiel — żołnierz polski znajdował się w ciągłej akcji. Walczył on prawie że na wszystkich frontach. Czyny jego były czasem inspiracją dla innych".

„W szeregach tych oddziałów znajdują się obywatele polscy rozmaitych wierzeń i religii" — kontynuuje minister. „Żydzi polscy brali w niej czynny udział. Wielu oficerów i żołnierzy żydowskich zginęło lub zostało rannych, wielu zostało odznaczonych, kilku najwyższymi odznaczeniami wojskowymi za bohaterskie czyny". „Polska ma starą tradycję tolerancji i wolności. Armie jej nie czynią różnic wśród żołnierzy, z powodu ich zapatrywań lub wyznań. Duch braterstwa — kończy minister — równości, wiary i samopomocy w szeregach żołnierzy walczących o wolność, daje najlepszą rękojmię przyszłego lepszego zrozumienia".

* * *

Naczelny Wódz, gen. T. Bór Komorowski, w wywiadzie udzielonym „Manchester Guardian" i przedrukowanym w „Dzienniku Polskim" i „Dzienniku Żołnierza" wyraził swój „najwyższy podziw dla bojowników powstania w Ghetto" Generał Bór Komorowski, mówiąc o pomocy udzielonej Żydom przez Armię Krajową, oświadczył: „Zrobiliśmy wszystko, co było można; wszystko to, co było możliwe i wykonalne w tych okolicznościach". Około 1.000 Żydów, którym udało się ujść z zagłady, walczyło w szeregach polskiej Armii Krajowej w czasie Powstania Warszawskiego. W końcu walk o Ghetto Armia Krajowa zaatakowała pozycje niemieckie w północnej Warszawie celem stworzenia wyłomu w pierścieniu niemieckim i umożliwienia ucieczki przynajmniej części Żydów. Natarcie to zostało niestety odparte przez posiłki złożone w oddziałów SS. łotewskich i ukraińskich, które zadały Polakom ciężkie straty.

* * *

Generał Antoni Chruściel (pseudonim konspiracyjny: Monter), dowódca Armii Krajowej w okręgu warszawskim udzielił wywiadu Żydowskiej Agencji Telegraficznej. Gen. Chruściel powiedział między innymi: „Uważaliśmy powstanie w Ghetto warszawskim za regularne operacje wojskowe. Pokrywały się one z naszymi planami i były nie tylko bohaterskim zrywem ciemiężonych, ale miały wielkie znaczenie dla całej naszej kampanii. Z wojskowego punktu widzenia powstanie było dobrze przygotowane. Przygotowania rozpoczęto skoro tylko Żydzi postanowili bronić się przeciwko masakrom". Dalej gen. Chruściel mówił o stałej łączności pomiędzy Ghettem a Kwaterą Główną A.K.:

13

,,Plany Żydowskiej Organizacji Bojowej zostały później nieco zmienione przy naszej pomocy, aby uzgodnić je z naszymi planami. Ludzie w Ghetto mieli dość żywności, dzięki szmuglowi z zewnątrz, mieli jednak mało amunicji. My nie mogliśmy dostarczyć im wiele, ponieważ nasze zapasy amunicji były bardzo małe. Natomiast udało się nam dostarczać broń regularnie, gdy właściwa walka rozpoczęła się. Wewnątrz Ghetto Żydzi posiadali 10 małych fabryczek, które produkowały granaty przeciwpancerne i inną broń. Produkcja materiałów wybuchowych według przepisów, których dostarczyliśmy ludziom w Ghetto, uwieńczona była wielkim sukcesem".

* * *

,,European Jewish Observer" w wywiadzie z premierem Rządu R.P. T. Arciszewskim podaje:

Jeśli Żydzi mają korzystać w przyszłej Polsce z prawdziwej równości, jak chcemy by korzystali, muszą mieć oni zapewniony swobodny dostęp do wszystkich stanowisk w życiu politycznym i gospodarczym. Muszą otrzymać wszelkie szanse zatrudnienia w rządzie, we władzach municypalnych, w fabrykach, kopalniach i na roli. Nie może być żadnych barier między Żydem a Polakiem w przyszłej Polsce, i rząd któremu ja przewodniczę, nie będzie czynił żadnej dyskryminacji.

Masy żydowskie muszą mieć możliwość zatrudnienia, gdziekolwiek chcą pracować — mówił dalej premier. W przyszłej Polsce nie mogą istnieć żadne bariery, ghetto czy podziały. Dotyczy to również szkół i uniwersytetów. Ci, którzy mogą i chcą studiować muszą otrzymać pełne szanse, wszystko jedno czy są Żydami czy Polakami. Jedynym sprawdzianem musi być zdolność nie zaś przynależność rasowa! Odnosi się to także do armii, gdzie powinni być żydowscy generałowie tak samo jak żydowscy szeregowcy.

Żyd - żołnierz walczył pod Monte Cassino.

Przez długie miesiące strzelec Aleksander Grynberg czekał tej chwili. Gdy z Kraju nadchodziły wieści o masowych mordach dokonanych na braciach, o straszliwych pociągach śmierci, o likwidowaniu ghett w miastach polskich, zaciskał w ręku mocniej karabin i coraz mocniej pracował nad swoim wyszkoleniem. Szkołę podchorążych w Ismailii skończył z 6 lokatą.

Nadeszła wreszcie oczekiwana chwila. Bój o Monte Cassino. Kapral podchorąży Grynberg mając pod swoim dowództwem 3 ludzi poszedł jeden z pierwszych do natarcia. 12 maja w pierwszy dzień ofensywy. Szturmem zdobyli pilbox niemiecki. Umocnili się i skierowali ogień na nieprzyjaciela. Podchorąży wyskoczył, by poprowadzić ludzi dalej. Zobaczył Niemców i począł strzelać. Padło kilku, ale padł i sam podchorąży. Nie podniósł się już więcej. Ale jego sen o zemście ziścił się.

W tym samym dniu na wielu odcinkach bili się żołnierze Polacy-Żydzi. Z zaciekłością i determinacją. Kpr. pdch. Liberman Jakub, choć dwukrotnie ranny, nie pozwolił się znieść sanitariuszom. Walczył dalej, aż go raniono po raz trzeci — tym razem śmiertelnie.

Kapral podchorąży K. był drugim zastępcą dowódcy plutonu. Od moździerza padł porucznik, komendę objął jego zastępca. Gdy i ten zginął w dwie godziny później, pdch. K. poprowadził pluton do natarcia. Bił się bohatersko przez 10 godzin. W południe kula nieprzyjacielska przebiła mu nogę na wylot. Zdał komendę plutonowemu, ale jeszcze w szpitalu, gdy go pytano, czy rana boli, odpowiadał pytaniem na pytanie: ,,A jak jest na ,,Widmie''? Czy pluton mój utrzymał swoje pozycje?''...

St. saper L. z szturmowej kompanii saperskiej nie rozstawał się nigdy z modlitewnikiem ani z fotografią żony. To dodawało mu bodźca do walki. Wziął kilku jeńców. Nie chcieli pokazać pola minowego, kazał im iść przed sobą. Pokazali...

Wiele, wiele przykładów bohaterskich czynów żołnierzy polskich-Żydów można cytować. Strzelec Kopel R. z Dywizji Karpackiej, gdy na jego oddział padła nawała ognia artyleryjskiego, schronił się do schonu, opuszczonego przez Niemców. Nie wytrzymał tam długo. Złapał erkaem, wyskoczył z schronu i począł sieć niemiłosiernie po Niemcach. Strzelec Julian F. z Kresowej otrzymał 4 rany ale za każdą ranę zapłacił życiem jeden Niemiec. Mechel B. to stary żołnierz. W Tobruku został, odznaczony za odwagę, we Włoszech był na niejednym patrolu. Tu ranny wyrywał się na plac boju ze szpitala. Strz. B. ranny był raz nad Sangro, drugi raz na stokach Monte Cassino. Ale nim został ranny, wielu Niemców położył trupem. Z Karpackiej jest też st. strz. K., który był już na 11 patrolach, st. strz. Sz. ranny w szyję, strz. Z., który na patrolu wraz z kolegami wziął 13 jeńców.

W jednym ze szpitali leży strz. Abram G. z Kresowej. W pobliżu Piedimonte zabił granatem dwóch Niemców. Potem z kolei sam oberwał. Opowiada o swojej ,,przygodzie'' z dużą swobodą i śmiesznym chłopskim akcentem. Bo Abram G. to chłop-rolnik z dziada, pradziada. Miał swoją ziemię we wsi Ociejsk w Radomskim. Nie miał czasu na ożenek mówi — ale w wojsku służy nie pierwszy raz. Był w 27 pułku ułanów w Nieświeżu, a we wrześniu walczył w 1 garwolińskim pułku strzelców konnych. Abram to stary ułan, i stary żołnierz. Pod Piedimonte, gdy został ranny dostał się do niewoli niemieckiej. Pytają go: ,,Jude?'', a on odpowiada: ,,Jude'', grożą mu, opatrywać nie chcą, wody nie dają. Mówią tylko ,,Gut deutsche granat'', — więc odpowiada ,,Gut deutsche granat, to i gut deutsche bandaż''. Śmieją się i posyłają go na tyły, do kompanii. Abram opowiada o tym: ,,Mówili: ,,Idź do kompanii''. Ja lice; w pierwszym schronie cy ludzi, w drugim cy i w cecim cy — to wszystko! To to kompania?! To łachudry, nie wojsko!''... Leżał u Niemców 24 godziny, jeść dał mu po kryjomu jeden Ślązak. Gdy nadchodzili Polacy, Ślązak schował swój hełm i karabin u Abrama pod kocem. Został — chciał zostać. Do Polaków krzyknął ,,zostałem z waszym rannym żołnierzem''. Tak Abram wrócił z powrotem do swoich. Teraz dziwi się, że sam Generał do niego przyjeżdżał. ,,Nic ja wielkiego nie zrobił'' — mówi — ,,biłem Niemców, bo ca tych szwabów bić''.

W jednej kompanii komandosów polskich we Włoszech na 72 ludzi znajduje się 7 Żydów. Wszystko młodzi chłopcy, po maturze. Pojechali na front z Anglii na ochotnika. Zuchwali, brawurowi niemal. Sierż. pdch. J. ma kilka odznaczeń bojowych, wśród nich Virtuti Militari. Dwóch innych udekorował niedawno Krzyżem Walecznych Naczelny Wódz. Kocha ich major, dowódca kompanii i wyraża się o nich z najwyższym uznaniem.

Osobną kartę w historii boju o Cassino mają lekarze-Żydzi. Wielu z nich pracowało w wysuniętych czołówkach chirurgicznych. Tam, na posterunku zginął por. dr Graber, tam został ranny ppor. dr M. I wtedy, gdy niemiecka artyleria ostrzelała punkt opatrunkowy, choć wi-

Groby Żydów — żołnierzy polskich poległych we Włoszech
na cmentarzu Monte Cassino.

Fragment cmentarza wojsk. pod Monte Cassino. Na pierwszym planie
ostatnie kwatery żołnierzy—Żydów.

Grób sapera—inż. Aleksandra Gruenberga, poległego pod Monte Cassino.

doczny był im znak czerwonego krzyża, dr M. sam ranny, opatrywał innych. Kierownik Czołówki Chirurgicznej, kpt. K., ppor. S., lekarze CCS-ów i szpitali dali ze siebie wszystko, by ratować życie żołnierzy. Wielu rannych będzie ich wspominało z wdzięcznością.

40-letni plutonowy Eliasz Szapiro był instruktorem w szkole wyborowych strzelców, 20-letni strz. Pastor, brat znakomitej pływaczki polskiej, jego uczniem. Padli obaj na stokach Monte Cassino. W walce o wzgórze Klasztorne zginęli i inni: st. strz. pdch. Lipszyc Szloma, strz. Sztybel Chuna, 45 letni strz. Zygman Hersz, strz. Szapiro Marek. Zginęło i 20 innych żołnierzy polskich-Żydów. Leżą teraz wszyscy na cmentarzach w Venafro, San Vittorio i w rejonie Dywizji Kresowej. Wkrótce ich ciała znajdą się na wspólnym cmentarzu poległych żołnierzy polskich, na Monte Cassino, obok klasztoru. Za dusze ich rabin wojskowy odmówił nabożeństwo żałobne, a kantor odśpiewał „El Mole Rachmin" — „Boże pełen miłosierdzia" — prosił śpiewną modlitwą kantor — „przyjm zmarłych bohaterów do nieba". Na pewno Bóg łaskawy znajdzie tam dla nich poczesne miejsce.

Wiele, wiele przykładów odwagi, bohaterstwa, patriotyzmu żołnierzy polskich-Żydów można by było przytoczyć. Mówią o nich z uznaniem i Dowódca Korpusu i dowódcy wszystkich jednostek. Żołnierz polski-Żyd walczył na stokach Monte Cassino. Walczył o wolność, całość i niepodległość Polski.

Oficer żydowski-bohater.

B. P. LEON CZERTOK

(Wspomnienie pośmiertne).

Dnia 31 grudnia 1944 r. poległ na polu chwały w Holandii ppor. Wojsk Polskich Leon Czertok.

Gdyby wśród milionowej rzeszy żołnierzy Żydów rozrzuconych po rozmaitych oddziałach armii alianckiej szukać należało wyraziciela idea· łów, o jakie walczy anonimowo żołnierz Żyd, zapewne trudno by było znaleźć godniejszego reprezentanta niż nim był za życia i w godzinie śmierci — Leon Czertok. Postać 25-letniego Leona symbolizuje godną postawę młodzieży żydowskiej, która pod rozmaitymi barwami narodowymi walczy dziś o jedno —- o honor sztandaru białoniebieskiego.

Pochodząc z domu, w którym tradycje narodowe i sjonistyczne zostały głęboko wszczepione w dzieci przez zasłużonego prezesa Org. Sjonistycznej w Lidzie, młody Czertok wstępuje w życie świadom swych obowiązków obywatelskich i narodowych. Lata szkolne spędza w organizacji młodzieży Hanoar Hacijoni, gdzie daje się poznać jako organizator i przywódca. Wybuch wojny zastaje go na wyższych studiach technicznych w Londynie. Czertok nie waha się, wie co w dobie walki uczynić należy i gdzie jest jego miejsce. Zgłasza się ochotniczo do Armii Polskiej, gdzie wkrótce już staje się ulubieńcem przełożonych i towarzyszy broni. Jego młodzieńczy temperament wyżywa się na polu ćwiczeń, a głębokie poczucie tragedii żydowskiej nakazuje energicznie reagować na każdą krzywdę czy obrazę pod adresem żołnierzy Żydów. Czertok narzuca wprost otoczeniu szacunek dla swej osoby przez nienaganną postawę żołnierską, idącą w parze z godnością narodową, odwagą krytyki i wypowiadania swych opinij. Choć w wojsku nie ma miejsca na walki ideologiczne i światopoglądowe, to jednak Czertok nie waha się interweniować tam, gdzie nadarza się okazja uświadamiania, oświecenia i przekonania zarówno wrogów jak i przyjaciół.

Tak zachować się mógł tylko człowiek, który wierzy w swe posłannictwo, któremu droga jest sprawa narodu, który postanowił życie oddać w walce o SPRAWĘ. Walki 1. Dywizji Pancernej na Kontynencie to wspaniała karta z życia Leona Czertoka. Od pierwszego niemal dnia daje się poznać jako śmiały patrolowiec, odważny dowódca, świecący stale osobistym przykładem.

W walkach w Normandii utarło się w Batalionie powiedzenie, że „Czertokiem zamiata się front". Ciągle w akcji, ciągle na stanowisku, w walce. Uzyskuje cytacje w rozkazie dziennym Oddziału za odwagę i przykładne dowodzenie w obliczu wroga.

Zapytany raz co czuł, gdy otrzymywał zadanie na pozór niewykonalne, odpowiedział z uśmiechem: „Musiałem iść, bo nie mogłem odmówić. Gdybym się zawahał — powiedzieliby, że Żyd stchórzył". Taka była logika walki Leona Czertoka. Honor żydowski wart jest więcej niż osobiste bezpieczeństwo, wart jest więcej niż cena krwi własnej.

Ranny po raz pierwszy w Holandii opuszcza szybko szpital, choć rana nie jest jeszcze wygojona. Wraca na front, gdzie zostaje awansowany do stopnia podporucznika w grudniu 1944. W nocy z 30 na 31, gdy jeszcze nie wypoczął po poprzedniej akcji, która przyniosła mu pochwałę dowódcy, bierze znowu udział w wypadzie na bunkry niemieckie nad Mozą. Idzie na czele swego plutonu, jest tam gdzie gorąco; uśmiechnięty, pewny siebie, zachęca, pomaga, — zawsze pierwszy. Czy może się wahać? Co powiedzą inni o żołnierzu Żydzie? Rażony dwiema seriami niemieckiego ckm-u pada na polu bitwy w odległości zaledwie 50 mtr od bunkru nieprzyjacielskiego.

(*Nasza Trybuna*, New-York. Rok VI, nr 2, 1945)

Ostatnia danina krwi.

,,Bój to będzie ostatni..."

Żydowski ruch oporu mężniał i rósł. Już nie tylko bojowcy z ŻOB-u, ale wszyscy niemal mieszkańcy ghetta postanowili drogo sprzedać swe życie

I tak na przygotowaniach do zbrojnego oporu, w oczekiwaniu na akcję schodził dzień za dniem.

Wiedziano, że nie ma już żadnych szans przeżycia — a tu przyszły pierwsze wieści o zwycięstwach aliantów, Stalingrad, pochód w Libii, bombardowanie Rzeszy, dla Europy perspektywa wyzwolenia, a dla nich?

Łatwo zrozumieć, co działo się w duszach mieszkańców ghetta, gdy szykowali się do ostatniej, beznadziejnej walki.

Na miejsce dotychczasowego SS und Pol. Führera przybył Brigadenführer Stropp, o którym mówiono, że przywiózł z Berlina nowe instrukcje.

W kwietniowy poniedziałek, w wigilię żydowskich świąt wielkanocnych, silne oddziały SS i policji niemieckiej otoczyły ghetto (rozkaz akcji przyszedł nagle, w sobotę jeszcze zamówiono na poniedziałek żydowskich malarzy do remontu mieszkań dostojników gestapowskich przy ulicy Chocimskiej 33, akcja była niespodzianką nawet dla Gestapo).

Zaczęła się ostateczna likwidacja ghetta warszawskiego.

Żydzi odpowiedzieli strzałami. Przez pierwsze dni żaden Niemiec nie mógł dostać się na tereny zajęte przez Żydowską Organizację Bojową. Bronić zaczęli się w szopach, z których tylko część pracowników udało się Niemcom wywieźć do obozów Toebbensa w Poniatowie i Schulza w Trawnikach, reszta walczyła dalej.

Na początku akcji, przeciwko uzbrojonym w kilkadziesiąt karabinów i kilkaset rewolwerów i granatów bojowcom żydowskim brały udział:

2 bataliony SS-Waffen, batalion Schupo, 2 kompanie Ukraińców, oddział Gestapo, 10 lekkich dział polowych (ustawione wokoło murów

oddawały salwę za salwą), 6 czołgów i 4 samochody pancerne! (według sprawozdania: Der SS und Polizeiführer für den Distrikt Warschau, Bandenbekämpfung in Warschau, den 30 April 1943).

Karetki sanitarne ciągle odwoziły rannych Niemców, których liczba wzrastała. Do akcji weszły miotacze ognia i Stukasy, które zrzucały bomby zapalające. Zaczęły palić się domy, bloki całe, a w nich żywcem ludzie.

Ale nikt nie wychodził, ghetto walczyło dalej. Na Placu Muranowskim wywieszono biało-niebieskie sztandary i na podkreślenie, że walka ghetta jest żydowskim wkładem do ogólno-polskiego ruchu oporu i bezkompromisowej walki z Niemcami, powiewał sztandar biało-czerwony.

Niemcy przerwali ruch pieszy i kołowy na ulicach przylegających do ghetta. Topniały szeregi ŻOB-u ale i straty niemieckie były poważne. Bojowcy spalili 3 czołgi niemieckie i granatami zniszczyli kilka wozów pancernych. Jeden czołg wjechał na minę podłożoną przy bramie wjazdowej na terenie „szczotkarzy" i wyleciał w powietrze. Wzięto do niewoli ponad 100 SS-manów i żandarmów, których w odwet za bestialskie zamordowanie na Niskiej kilkudziesięciu powstańców żydowskich, w kilka dni potem rozstrzelano. W czasie walk robione były próby odbicia Pawiaka ale grupy atakujące zdziesiątkowane zostały morderczym ogniem ckm-ów i działek szybkostrzelnych, ustawionych na wieżach strażniczych.

Walczyły nieustraszenie kobiety żydowskie, w pierwszych dniach padła kierowniczka jednej z grup bojowych, Pola Elster.

Przez pierwsze dni akcji, sporo broni i amunicji spłynęło do ghetta kanałem przekopanym pod Placem Muranowskim, który łączył „aryjski" Pl. Muranowski 4 z żydowskim numerem siódmym. Po dziesięciu dniach przekop został odkryty. Żandarmeria niemiecka rozstrzelała wszystkich mężczyzn-Polaków, których znalazła na terenie domu. Zabito wtedy 36 osób wraz z Jankiem, członkiem polskiego ruchu podziemnego, który na zlecenie organizacji zajął stanowisko dozorcy w tym domu i kierował dostawą broni podczas walki w ghettcie. Za karę wysiedlono też całą ludność polską z Przebiegu, Pl. Muranowskiego i przylegającej części Bonifraterskiej. Coraz to nowe czołgi rzucali Niemcy do walki. Stukasy krążyły bez przerwy, rzucając bomby nawet na płonące zgliszcza. Bojowcy nie tylko nie poddali się, ale w ciągu nocy przechodzili przez mury i likwidowali otaczające ghetto posterunki ukraińskie i niemieckie. Po trzykrotnej takiej wyprawie na rogu Konwiktorskiej i Bonifraterskiej obsadę z 2 żołnierzy zwiększono do 12!...

Łączność między poszczególnymi punktami oporu była niemożliwa, przejścia paraliżował ciągły obstrzał ckm-ów i działek czołgowych. Nie było już kontaktu z kierownictwem, wszystkie grupy bez rozkazu broniły się do upadłego, do ostatniego naboju.

21

Na terenie szop ogłoszono „amnestię", ci którzy wyjdą ze schowków i bunkrów, nie zostaną ukarani, lecz wysłani do obozów pracy. Nikt nie wyszedł. Do ghetta sprowadzono nowe bataliony SS-Waffen z Żoliborza. Przybył wysłanik SS-Hauptamtu (Głównej kwatery SS w Berlinie) i ze Stroppem kierował akcją. Ghetto dosłownie zasypane zostało pociskami, w domach przylegających do dzielnicy nie było już szyb ani futryn, na graniczących ulicach druty tramwajowe i przewody telefoniczne zwisały ze słupów. Nad wszystkim unosiły się ciężkie kłęby dymu. Płonęła już cała dzielnica, ale nie poddawano się. Matki rzucały się z dziećmi w ogień, bojowcy po wystrzelaniu ostatniego naboju przecinali sobie żyły — byle tylko nie oddać się żywcem w ręce niemieckie.

W śmiesznie nierównej walce żydowscy bojowcy przetrwali trzy tygodnie. Prawie wszyscy zginęli (padli kierownicy: Klepfisz, odznaczony pośmiertnie Virtuti Militari, Anielewicz, Kapłan, Jeleń, Erlich, Pola Elster), tylko nielicznym udało się, gdy walka dobiegała końca, uciec kanałami (Cukiermann, Cywja Wanda Elster i Turkow).

Niemcy do kanałów wrzucali bomby gazowe, a włazy zasypywali piaskiem, tysiące osób zginęło w kanałach. Ostatniego dnia akcji likwidacyjnej sprowadzono na Umschlagplatz, zatrzymanych na Befehlstelle: Lichtenbauma, Sztolcmana, Wielikowskiego i Szereszewskiego i na rozkaz Stroppa zastrzelono, a ciała wyrzucono na śmietnik, znajdujący się na tyłach placu. Ten sam los spotkał kierownictwo Służby Porządkowej.

Po trzech tygodniach całe ghetto było kupą gruzów, wśród których poległo śmiercią walecznych setki żydowskich bojowców. Ale... po stronie niemieckiej było 687 zabitych i 964 rannych (według miesięcznego zestawienia niemieckiego szpitala SS Elżbietanek na Mokotowie).

Z rozkazu Stroppa wysadzono w powietrze synagogę żydowską na Tłomackim i zniwelowano cmentarz przy ulicy Okopowej.

Ostatni ślad istnienia Żydów w Warszawie został usunięty.

W miesiąc później Stropp odznaczony został krzyżem rycerskim, a najwięksi mordercy z Gestapo krzyżami żelaznymi — EK — za „wzorowę" zlikwidowanie ghetta warszawskiego.

Niedobitki ghetta, ocalałe z pogromu kwietniowego, którym udało się zbiec, jeszcze raz porwały się do walki.

Gdy 1 sierpnia wybuchło w Warszawie powstanie, na barykadach stawili się wszyscy pozostali przy życiu bojowcy żydowscy.

Na Starym Mieście bili się dzielnie więźniowie uwolnieni przez powstańców z obozu koncentracyjnego na Gęsiej, na licznych odcinkach walki świecili bohaterstwem powstańcy żydowscy, z których wielu zginęło.

Była to ostatnia danina krwi.

Bohater Ghetta — Kawaler „Virtuti Militari".

Wódz naczelny nadał 18 *lutego 1944 r. pośmiertnie srebrny krzyż Virtuti Militari inż. M i c h a ł o w i K l e p f i s z o w i z W a r s z a w y".*

Ojciec i matka jego byli nauczycielami szkół powszechnych w Warszawie. Matka, Maria, była kierowniczką jednej z państwowych szkół powszechnych w Warszawie i przez długie lata do wybuchu wojny przewodniczącą Zarządu Głównego Zw. Żyd. Nauczycieli. Rodzice całe swoje życie oddali cichej, ale często, w czasach carskiego reżymu, jakże niebezpiecznej służbie w ruchu socjalistycznym. W tej skromnej, ale i ofiarnej atmosferze wyrósł ich młody Michał. Uczył się świetnie i warszawską Politechnikę ukończył z odznaczeniem tuż przed wojną.

... Mówiło o nim radio polskie. —- Tym razem podziemne — „Świt". W pierwszych dniach maja 1943 roku opowiadało o tym, jak w nocy z 18 na 19 kwietnia rozgorzała zbrojna walka na terenie ghetta warszawskiego, jak ludzie od lat głodzeni, słabo potajemnie uzbrojeni, rzucili się na stokroć lepiej uzbrojonego wroga, by drogo sprzedać swoje życie, by nie pójść dobrowolnie do obozów „pracy", będących faktycznie masowymi mordowniami tysięcy.

Dziś wiemy już dokładnie, że ta walka na śmierć i życie, bez rannych i bez jeńców, była planowana od wielu miesięcy przez robotników żydowskich, zatrudnionych na terenie ghetta w niemieckim przemyśle zbrojeniowym. Dziś wiemy, jak bardzo kaci hitlerowscy bali się oporu swoich ofiar i uciekali się do najpodlejszych kłamstw, by oszukać naiwnych, przyrzekając im w specjalnych odezwach, rozlepianych na murach domów, a podpisanych przez niemieckiego „Komisarza dla Spraw Przesiedlenia Mieszkańców Dzielnicy Żydowskiej" Waltera Troebbensa, że zostaną oni urządzeni lepiej, niż dotychczas, i — co najważniejsze — by nie uwierzyli agitacji Żydowskiej Organizacji Bojowej.

I opowiadając dalej o niezwykłym bohaterstwie bojowników ghetta, osamotnionych w swojej walce, mających tylko za sobą moralne opar-

23

cie w podziemnym ruchu polskim spoza ghetta, rozumiejących doskonale, jaki może być fizyczny koniec i rezultat tej ,,drugiej bitwy o Warszawę", ,,Świt" wymienił jedno nazwisko — Michała Klepfisza. I to samo powtórzyło się w telegraficznym doniesieniu z Warszawy, przesłanym przez Delegata Rządu: ,,zginął bohaterską śmiercią inżynier Klepfisz, członek ,,Bundu", jeden z filarów zbrojnego oporu". W sprawozdaniu, które przed kilku tygodniami dotarło do Londynu z Warszawy podane zostały bliższe szczegóły zasług Michała Klepfisza w przygotowaniu powstania warszawskiego ghetta. Był on tym, który zorganizował, potajemną oczywiście, wytwórnię materiałów wybuchowych w dzielnicy żydowskiej. I dalej jest powiedziane w tym sprawozdaniu: ,,Bez pomocy Michała powstanie byłoby niemożliwe".

Michał Klepfisz zginął w walce już w pierwszych dniach powstania. Ale walka trwała znacznie dłużej. Po stronie niemieckiej walczyło co najmniej 6.000 żołnierzy SS i Gestapo. Niemcy walczyli tchórzliwie, dwa tygodnie nie śmieli w nocy w ogóle wejść na teren ghetta. Przeciwko ludziom uzbrojonym najwyżej w karabiny maszynowe i granaty ręczne użyli czołgów, artylerii i nawet samolotów. Palili całe ulice, zanim odważyli się w nie wtargnąć.

Jeszcze w połowie czerwca, a więc w 7 tygodni po rozpoczęciu walk, bojowcy prowadzili wciąż walkę podjazdową na terenie ghetta. O klęsce moralnej Niemców świadczy chociażby fakt, że w maju 1943 r. został usunięty ze stanowiska szefa Gestapo okr. warszawskiego von Sammer, któremu kierownicze czynniki hitlerowskie zarzucały, że był winien temu, że około 1000 Niemców zginęło podczas walk w ghetcie.

W tych strasznych dniach na ulicach polskiej części Warszawy kolportowana była odezwa Centralnego Kierownictwa Ruchu Polskich Mas Pracujących, w której, m. in. było powiedziane: ,,Robotnikom i pracownikom narodowości żydowskiej... przesyłamy braterskie pozdrowienie i zapewnienie, że czyn ich nie przejdzie bez echa. Wejdzie on w legendę Polski walczącej, stanie się wspólnym dorobkiem ludu Polski, dorobkiem, na którym wzniesiony zostanie gmach odrodzonej Rzeczypospolitej".

... I razem ze sztandarami zwycięskich wojsk przez Aleje Ujazdowskie i przez spaloną ulicę Smoczą przejdzie sztandar, który wisiał na samotnej barykadzie ghetta. I na Wielkiej Rewii, gdy na baczność staniemy przed duchami żołnierzy wielkiej armii wolności, którzy walczyli o Polskę, zobaczymy wśród nich bojowników warszawskiego ghetta i chorążego tych bojowników — Michała Klepfisza.

(*Polska Walcząca*, Londyn)

W dymie pożarów...

(z raportu podziemia żydowskiego w Polsce)

Ostatni akt tragedii.

W nocy z 18 na 19 kwietna rozpoczął się ostatni akt tragedii ghetta warszawskiego. (Miał to być podarek urodzinowy dla Führera). Ż.O.B. stanęła do walki. O godzinie 2 w nocy rozstawiają Niemcy gęste patrole (co 25 metrów) niemiecko-ukraińsko-łotewskie dookoła murów ghetta. Pojedynczo, dwójkami, trójkami wchodzą niemieccy żołnierze na tereny ghetta niezamieszkałego, chcą zaskoczyć bojewników i ludność. A o godz. 2 minut 30 nadchodzą pierwsze meldunki od wysuniętych czujek, o koncentracji większych formacji wojskowych na terenie ghetta. O godzinie 4 nad ranem wszystkie grupy bojowe znajdują się na swych stanowiskach. Gotowe są należycie przyjąć wkraczającego wroga. O godzinie 6 rano wkracza na teren ghetta centralnego 2000 uzbrojonych SS-manów, czołgi, armatki szybkostrzelne, 3 ciągniki załadowane amunicją i ambulanse. Wraz z formacjami SS-Waffen zjawia się cały niemiecki sztab wysiedleńczy, w skład którego wchodzą oficerowie SS i Gestapo: Michelson, Handtke, Hoeffle, Mireczko, Barteczko, Brand i Mende. Ludności żydowskiej nie ma na powierzchni. Wszyscy znajdują się w schronach podziemnych lub innych kryjówkach, czuwa na powierzchni Ż.O.B. Bojowcy znajdują się w 3 kluczowych punktach ghetta, zamykających wejście do głównych ulic.

Pierwsze starcie na Nalewkach.

Pierwsze starcie odbywa się na Nalewkach, gdzie 2 zabarykadowane grupy bojowe bronią ulicy. Walka kończy się zwycięstwem bojowców. Niemcy wycofują się, pozostawiając wielu zabitych. Jednocześnie u zbiegu Miłej i Zamenhofa toczy się główny bój. Zabarykadowani we wszystkich 4 rogach ulicy, bojowcy zaatakowali główną kolumnę niemiecką, wkraczającą do ghetta. Po pierwszych strzałach z pistoletów maszynowych i celnie rzuconych granatach w zwarte szeregi SS-manów, — ulica pustoszeje. Nie widać zupełnie zielonych mundurów. Pochowali się w sklepach i bramach pobliskich domów. Odbywa się wymiana pojedynczych strzałów. Po 15 minutach przez „wachę" wjeżdżają czołgi. Podjeżdżają tuż pod pozycję bojowców. Spokojnie i celnie rzucone butelki zapalające trafiają w tank. Płomień rozlewa się nadspodziewanie szybko. Następuje wybuch. Maszyna jest unieruchomiona. Załoga spłonęła żywcem. Pozostałe 2 tankietki natychmiast wycofują się, a za nimi w popłochu wszyscy Niemcy, odprowadzeni celnymi strzałami i granatami. Niemcy stracili około 200 zabitych i rannych. Nasze straty 1 bojowiec. Po 2 godzinach ustawili Niemcy na terenie „międzyghetta" armatki i ostrzeliwują nasze pozycje. Dojście jest wolne, pozycje zdobyte. Nagle z przeciwległych okien (Zamenhofa 29) walą się granaty. To jedna z naszych grup, która dotychczas nie strzelała i nie zdradziła swego istnienia, zaatakowała Niemców po raz drugi na tym samym miejscu. Niemcy tracą około 50 zabitych. Nasza grupa wycofuje się bez strat. O godzinie 5 po południu na terenie ghetta nie było już Niemców. Zostali oni wycofani na tereny niezamieszkałe. Przewaga nasza spowodowana była tym, że działaliśmy niespodzianie i szybko z dobrze zamaskowanych pozycji.

Drugi dzień akcji.

Drugi dzień akcji rozpoczyna się koncentracją większych oddziałów SS na terenach „międzyghetta" i po stronie aryjskiej. Gros sił nie wchodzi jednak na tereny mieszkalne. Około 3 po południu oddział złożony z 300 SS-manów podchodzi pod bramę terenu szczotkarskiego. Zatrzymują się tylko na chwilę, ale to wystarcza dla bojowców, aby włączyć kontakt elektryczny i pod nogami SS-manów wybucha mina. Niemcy uciekają, pozostawiając 80—100 zabitych i rannych. Po 2 godzinach wracają na teren. Ostrożnie, pojedynczo, w szyku bojowym. Oczekują ich na swych pozycjach bojowcy. 30 Niemców weszło, ale wyszło tylko 2. Zostali oni zaatakowani granatami i flaszkami zapalającymi. Kto nie zginął od granatu — spłonął żywcem. Teraz dopiero Niemcy wprowadzają artylerię. Ostrzeliwują blok z 4 stron. W tym samym czasie przychodzi na teren 2 wyższych oficerów SS, wzywając bojowców do złożenia broni i proponują przerwanie działań na 15 minut — w przeciwnym razie grożą zbombardowaniem terenu. Odpowiedzią było kilka strzałów. Z drugiej strony bloku od ulicy Franciszkańskiej wchodzi oddział SS, niedaleko jednak zaszedł. Spłoszyło go kilka wolnych strzałów karabinowych. I znów na terenie nie ma Niemców. Jest to drugie kompletne zwycięstwo bojowców. Na terenie szopów Toebbensa i Schultza tego samego dnia ogłoszono dobrowolny werbunek do obozów pracy. Nie ma jednak chętnych, nikt się nie zgłasza., Wszyscy mieszkańcy, podobnie jak w ghetcie centralnym, znajdują się w schronach podziemnych. Dyrekcje szopów co kilka godzin przedłużają termin dobrowolnego wyjazdu, lecz i to nie skutkuje. Po oświadczeniu, że będą oni zmuszeni zastosować te same metody co w ghetcie centralnym, grupy bojowe, skoszarowane na tych terenach, atakują granatami i bombami oddział SS po stronie aryjskiej. — 40 zabitych i wielu rannych, oraz oddziały zdążające do ghetta centralnego na ulicach Nowolipie-Smocza.

W dymie pożarów.

Na rozkaz specjalnie sprowadzonego na czas akcji z Lublina Polizeifuehrera Globocnika, w drugim dniu akcji zaczęli Niemcy podpalać ghetto. W pierwszym rzędzie domy i bloki domów w których natrafili na opór, a więc: Nalewki 33, 35, 37, Miła 28, 19, Zamenhofa 28, następnie cały blok szczotkarski (był to pierwszy ogromny pożar). W odpowiedzi na podpalenie ghetta, bojowcy palą wszystkie magazyny „Warterfassung", i magazyn szopów — wartości kilkudziesięciu milionów złotych. Akcja dalej trwa. Niemcy szukają schronów. Jest im o tyle łatwiej, że z powodu wielkiego gorąca, ludzie co noc wychodzą na podwórze. Pozostawione ślady wskazują drogę do schronu. Bardzo pomocne są Niemcom aparaty podsłuchowe i psy gończe. W tym czasie bojowcy przechodzą z taktyki zaczepnej na obronną. Chcą, o ile się da, ratować ludzi w schronach. Odbywa się przegrupowanie sił. Do wielu schronów przydziela się grupy bojowe. Szóstego dnia akcji rozpoczęły się walki obronne na terenach Toebbensa i Schultza. Bojowcy obwarowali się w domach i na strychach, nie dopuszczając Niemców do schronów. Codziennie w innym miejscu bronili bojowcy ludności w schronach. Szczególnie ostre walki toczyły się na Nowolipkach 51, Leszno 78, 76, 74, Nowolipie 67, 69. Grupy bojowe prowadziły akcję nie tylko defenzywną, lecz i zaczepną. Ilekroć Niemcy próbowali wedrzeć się do ghetta, musieli się cofać, odpierani przez bohaterskich obrońców, pozostawiając ponadto na pobojowisku setki trupów. Wstydząc się swych ciągłych klęsk, rozpuścili pogłoskę, że obroną ghetta kierują niemieccy dezerterzy. Ghetto jednak trzeba było zdobyć. Sprowadzili tedy artylerię i umieścili ciężkie baterie na placu Krasińskich, Placu Muranowskim, na ul. Śto-Jerskiej i Bonifraterskiej. Rozpoczęło się formalne oblężenie ghetta. Miotacze ognia siały śmierć wśród ludności. Krążące nad ghettem samoloty rzucały bomby kruszące i zapalające. Cała dzielnica podpalona ze wszystkich stron stała w płomieniach, w których ginęły tysiące ludzi. Zdesperowani Żydzi skakali na bruk z najwyższych pięter domów. Ci którym powiodło się ujść z nich życiem, znajdowali śmierć od kul niemieckich. Grupy bojowe, które szalejące płomienie wygnały z ich stanowisk, musiały zmienić swą taktykę. Organizowały partyzantkę w ruinach, w których czyhały na niemieckie oddziały. Walki trwały bez przerwy we dnie i w nocy. Niemcy musieli zdobywać każdą ulicę, każdy dom. Położenie stawało się jednak nie do zniesienia. Ofiar wśród bojowców prawie nie było. Nie było jednak schronienia dla wyczerpanych nieustanną walką, gdyż całe ghetto płonęło; asfalt pod wpływem żaru zmieniał się w ciekłą masę smolną; spłonęły rezerwy żywnościowe; wykopane z mozołem studnie zostały zasypane gruzami walących się domów, a co najgorsze wyczerpał się zapas amunicji. W małych grupkach przesuwali się teraz bojowcy po ulicach, odziani w hełmy i mundury niemieckie ze stopami okręconymi w szmaty, celem głuszenia odgłosu kroków i atakowali przemaszerywujących Niemców, których jednak coraz mniej się pojawiało. Walczyły zamiast nich płomienie, samoloty i artyleria, ustawiona poza murami ghetta.

Śmierć bohaterów.

Po gruntownym rozpatrzeniu położenia, komenda Organizacji Bojowej postanowiła wysłać swych przedstawicieli do dzielnicy aryjskiej, celem nawiązania kontaktu ze znajdującym się tam przedstawicielem Ż.O.B. W przeddzień akcji wydelegowano w tym charakterze Ichaka w miejsce Arieh, który schwytany przez Niemców, zdołał ujść z Pawiaka i musiał wrócić do ghetta. O własnych siłach zorganizowano akcję ratunkową. Wysłannik ghetta, Symche R., w nocy 8 maja, wrócił do ghetta, celem wydostania stamtąd ludzi — było już jednak za późno. Z pomocą specjalnych aparatów i psów policyjnych przystąpili Niemcy do wykrywania podziemnych schronów żydowskich. Dnia 8 maja otoczyli Niemcy główny schron organizacji bojowej i zamknęli wszystkich 5 prowadzących do niego wejść. Wobec beznadziejnego położenia by nie wpaść żywcem w ręce Niemców, wezwał Arieh W. bojowców do popełnienia samobójstwa. Jako pierwszy Rutek Rotblat zastrzelił naprzód swą matkę, a po tym sam siebie. W schronie znalazła śmierć większość członków Organizacji Bojowej z jej Komendantem Mordachajem Anielewiczem na czele. Uratowaliśmy z ghetta około 80 ludzi, których większa część zginęła jednak w dzielnicy aryjskiej i w lasach. Grupy Józefa U... i Zachariasza U... z którymi nie udało się nawiązać kontaktu walczyły w ghetcie jeszcze przez długie tygodnie po czym zaginął po nich wszelki ślad.

Ghetto speaks.

Miesięcznik Amerykańskiej Reprezentacji „Bundu" — „Ghetto speaks" otrzymał w rocznicę powstania w ghetcie Warszawy, kilkadziesiąt wypowiedzi od wielu wybitnych osobistości. Podajemy niektóre z nich, w wyjątkach, w przekładzie z języka angielskiego:

P. Eleonora Roosevelt:

„... Ponieśli oni śmierć dla nas — my musimy żyć dla nich. Jest to jedna z tych prawd, o których się prędko zapomina. Tylko te prawdy łatwo się pamięta, które mało od nas wymagają. Wołam więc do Was tymi słowami, które powtarzam i sobie: ‚Nie zapominajmy! ".

Profesor Albert Einstein:

„... Niemcy, jako naród są odpowiedzialni za te mordy masowe i muszą zostać ukarani jako naród, jeżeli na świecie istnieje sprawiedliwość... Za partią hitlerowską stoi naród niemiecki, który wybrał sobie Hitlera, nie bacząc na to, że w książce i w mowach ujawnił on bez osłonek swe bezwstydne plany... Gdy Niemcy zostaną pokonani i zaczną lamentować nad swym losem — nie pozwólmy się ponownie zwieść, lecz pamiętajmy, że kiedyś celowo wykorzystali humanitarne uczucia innych, by przygotować swe ostatnie okrutne zbrodnie przeciwko ludzkości".

Herbert H. Lehman - Dyrektor U.N.R.R.A.:

„... Wyrażam uznanie Waszej organizacji za publiczne upamiętnienie pierwszej rocznicy Walki Ghetta Warszawskiego. Dokonano tam zbrodni przeciw człowieczeństwu, której nigdy nie wykreśli się z kart historii. Jestem rad, że mam okazję złożyć hołd wspomnieniu tych, którzy tak dzielnie walczyli o życie i wolność...".

Karin Michaelis - duńska pisarka, laureatka nagrody Nobla:

„... Jestem już stara i życie moje jest niewiele warte. Nie jest więc bohaterstwem z mej strony, gdy mówię — a tak czuję — że chętnie oddałabym resztę tych lat, jakie mi pozostały, by pomóc Żydom którzy dotąd żyją, bądź by pomścić zamordowanych...".

Thomas E. Dewey - Gubernator stanu New-York, kandydat republikański na Prezydenta Stanów Zjednoczonych A.P.:

„... Pamięć tej walki długo stanowić będzie naukę dla ludzkości!...

„... Ludność Stanów winna być dumna z tego, że nasza wolna republika dała schronienie znacznej ilości Żydów..."

Fiorello H. La Guardia - prezydent (Mayor) miasta New-Yorku:

„... Powiedzcie polskiemu ruchowi podziemnemu, by prowadził dalej swą walkę. Nie zapominamy o nim. Zbliża się już świt nowego dnia. Długo byli deptani ciężkim butem hitlerowskiej bestii, ale wkrótce skończy się okres ich cierpień!".

Dawid Dubiński - Prezydent jednego z największych związków zawodowych w Ameryce - „International Ladies Garment Workers Union":

„... Męczeńska śmierć bohaterów ghetta woła o pomstę na wrogach, którzy z zimnym okrucieństwem skazali cały naród na zagładę. Świat cywilizowany nie powinien zapomnieć i nie zapomni o tych rzeziach.

N i e   z a p o m n i m y!".

Wendell L. Willkie:

„Heroiczne postacie Żydów warszawskich pozostaną na zawsze w dziejach bohaterstwa. Jest prawdziwym zaszczytem czcić ich pamięć".

Philip Murray - Prezydent centrali amerykańskich związków zawodowych - „Congres of Industrial Organizations" (C.I.O.):

„... W pierwszą rocznicę walki warszawskiego ghetta pragnę ponowić przyrzeczenie „C.I.O." popierać naród Żydowski w jego walce o życie i wolność...".

Angelica Bałabanow - znana pisarka socjalistyczna:

„... Historia nigdy nie zapomni, że pierwsze silne „No passeran" powiedziane zostało przepotężnemu hitleryzmowi przez żydowski proletariat ghetta...

„... Ghetto przemówiło. Nauki i przykład towarzyszy *Erlicha* i *Altera* odniosły zwycięstwo. Faszyści „nie przeszli"...".

Sidney Hillman · Prezydent jednego z największych związków zawodowych - „Amalgamated Clothing Workers of America":

„... Jestem szczególnie dumny z tego, że żydowscy robotnicy wzięli na siebie inicjatywę i byli przewódcami w tej walce powstańczej narodu. Nawet w piekle hitlerowskiej okupacji żydowscy robotnicy nie zapomnieli swych bojowych tradycji, nie utracili swej ludzkiej godności...

„... Pozostali przy życiu Żydzi europejscy muszą otrzymać możliwość odbudowy swych siedzib i prawo życia, jako wolni i równi wśród swych współobywateli...".

Julius Deutsch - minister, członek Egzekutywy austriackiej partii socjalistycznej:

„... Gdy świat będzie liczył bohaterów, którzy padli w walce o wolność, Żydzi — z dumą, a nie-Żydzi — z największym uznaniem, będą wspominali bohaterów warszawskiego ghetta...".

Oscar Pollak · z Londyńskiego Biura Austriackich Socjalistów:

„... W biegu historii żydowskiej „Bund" dokonał cudu wychowania żydowskich robotników do skutecznego oporu przeciw wszystkim wrogom...".

Ż. O. B. wychodzi z podziemia.

Zaczęto pośpiesznie się dozbrajać. Zbierano pieniądze na kupno broni, granatów, amunicji. Polskie organizacje podziemne przyszły z pomocą, przesłały nieco broni i amunicji, sporo granatów. Przez mury przechodzili instruktorzy wojskowi, którzy uczyli obchodzenia się z bronią, zasad walk ulicznych. Młodzi chłopcy składali grosz do grosza, by kupić „Wisa" lub „Parabellum".

Ż.O.B. postanowiła w pierwszym rzędzie oczyścić teren ghetta. Po Lejkinie (który kierował akcją wysiedleńczą sł. porządkowej i z wyroku Z.O.B.-u zabity został jeszcze w grudniu 42 roku), przyszła kolej na „machera" gminnego Fürsta, gestapowskiego historyka Nosika, na szpiclów żydowskich, których na terenie ghetta zupełnie zlikwidowano.

Wychodziła prasa Ż.O.B.-u, która informowała, uczyła, wyjaśniała. Ukazywały się ulotki i proklamacje. Gromadzono pośpiesznie broń, której ciągle było za mało, budowano bunkry.

W szopach niemieccy kierownicy namawiali do wyjazdu, obiecywali wspaniałe warunki pracy. Akcja ta nie dawała żadnych wyników, do dobrowolnych transportów nikt się nie zgłaszał. Wtedy to Niemcy niespodziewanie otoczyli Werk III Toebbensa i wszystkich pracowników wywieźli do Poniatowa, gdzie mieli budować baraki i przygotować nowe sale fabryczne. To samo nastąpiło w jednym z warsztatów Schulza, w kilka dni później.

W lutym, w odwet za zranienie funkcjonariusza Gestapo, który nieopacznie zaplątał się na ulicę Miłą, gdzie sztab Ż.O.B.-u miał swoje lokum, nastąpiła pacyfikacja Miłej z udziałem całego warszawskiego Gestapo, uzbrojonego w broń maszynową i granaty. I znów dużo trupów.

(I. Luber: „Życie i śmierć ghetta warszawskiego", str. 26)

* * *

Więc przede wszystkim Białystok. Jeden z wielu przed wojną pod silnym wpływem „Bundu" pozostających żydowskich ośrodków pracy

Zgromadzeni na nabożeństwie za spokój duszy żołnierzy polskich—
Żydów poległych w walkach 2. Korpusu na ziemi włoskiej.

Nabożeństwo celebrowane przez nacz. rabina 2. Korpusu dr mjr
N. Ruebnera przy udziale duchownych aliianckich i włoskich.

produktywnej, stawił czynny opór katom niemieckim, gdy ci w połowie sierpnia br. rozpoczęli likwidację białostockiego ghetta. Opór zbrojny trwał około miesiąca i był wielkim czynem determinacji i bohaterstwa; Niemcy, którzy użyli w tej walce podobnych metod i narzędzi co w Warszawie, ponieśli znaczną ilość ofiar. 30.000-ne ghetto białostockie, z którego wielu padło, zostało zlikwidowane, a część jego niewielka została przewieziona do Trawnik.

* * *

A dalej Treblinka-obóz komór gazowych, w których hitlerowcy wytracili setki tysięcy Żydów, został przez pracujących w nim Żydów z początkiem sierpnia br. rozbity. Zrewoltowani Żydzi, wybiwszy do nogi 30-osobową niemiecko-ukraińską załogę obozu, zabrali jej broń spalili budynki tej kaźni, zniszczyli przewody i zorganizowali ujście do pobliskich lasów około 200 Żydów.

* * *

Na znacznie mniejszą skalę miały miejsce inne akty oporu żydowskiego w Tarnowie, Będzinie, Częstochowie i w Borysławiu w związku z likwidacją ghett w tych miastach w omawianym okresie sprawozdawszym.

* * *

Podobny zdeterminowany i heroiczny czyn, jak w Treblince miał miejsce i w Sociborze, również miejscu kaźni setek tysięcy Żydów. Było to w październiku br. gdzie także uszła znaczna ilość Żydów.

* * *

Wreszcie wprawdzie niezbrojnego, a jednak poważnego aktu oporu dokonali Żydzi ghetta łódzkiego jeszcze w lutym br. przeprowadzając strajk generalny na skutek rozpoczęcia przez Niemców masowych egzekucji, które w rezultacie tej walki ustały.

* * *

W końcu zaznaczyć należy, że niektóre dalsze żydowskie skupiska obozowe w szczególności Poniatów i Trawniki przygotowały akcje zbrojnego oporu. Akcją przygotowawczą oporu podobnie jak akcją samopomocową kierowały wewnątrz obozów, analogicznie jak tu, Komisje Koordynacyjne.

* * *

Partyzantki. — Jak wyżej wspomniałem w związku z likwidacją w ghettach, a następnie i samychże ghett, oraz z reżimem okrutnym w obozach żydowskich, uciekają od czasu do czasu pewne grupy Żydów (zwłaszcza aktywniejsze) z miejsc straceń do lasów i tworzą w ten sposób grupy „rekwirujące" lub (znacznie rzadziej) łączą się z nadarzającymi się im po drodze grupami partyzanckimi. Chodziło o ujęcie organizacyjne przez Ż.O.B. (Żydowską Organizację Bojową) tych elementów żydowskich. I w tym kierunku odbywały się rozmowy delegacji K.K. względnie Ż.O.B. z odnośnym oficjalnym czynnikiem wojskowym Polski Podziemnej.

(Wyjątki z „Biuletynu", rok II, nr 3, str. 5/6)

Ponary „Baza"

A jednak żyli ludzie nawet w samych Ponarach. Mniej ich było. Połowa, tj. w ogóle kto mógł, zatrzasnął drzwi, werandę i okna pozabijał z płotu wyciągniętymi deskami i przenosił się do miasta, czy do innej okolicy. Ale byli tacy, którzy nie mogli. — Życie ludzkie toczy się w wąskich, obciosanych ramach, obciosanych z trudem, a już podczas wojny większym niźli w okresie pokoju. Żadne bydlę nie potrafi się tak dostosować do warunków, tak obgłaskiwać nawet przez grozę, tak do wszystkiego na świecie się przyzwyczaić, jak — człowiek. Przez stację Ponary szły pociągi i z „Generalnej Gubernii", i dalekobieżne z Berlina na front i z frontu, lokalne z Kowna, podmiejskie i robocze z i do Wilna. Ludzie więc kupowali bilety, jechali, wracali, jedli, spali. Żyje ich tyle wokół rzeźni zwierzęcych na całym globie ziemskim, dlaczegożby po kilku latach nie mieli się przyzwyczaić do życia w bliskości rzeźni ludzkiej?

Zdaje się, że było to w październiku roku 1943 — ... Wieluż to do tego czasu i od tego czasu wymordowano Żydów w Ponarach? Niektórzy twierdzili, że tylko 80 tysięcy. Inni, że 200 tysięcy do 300 tysięcy. Naturalnie nie są to cyfry wiarygodne. Trzysta tysięcy ludzi! Ludzi!!! To się łatwo wymawia... ale cyfry te niewiarygodne się zdają nie tyle ze względu na ich wysokość, co na fakt, że nikt z całą stanowczością, nawet w przybliżeniu, ustalić ich nie mógł. Wiadomo jest, że mordowano tam wszystkich żydowskich mieszkańców miasta Wilna, co musiało stanowić około 40 tysięcy. Poza tym zwożono Żydów transportami ze wszystkich mniejszych i większych miast kraju okupowanego, bodaj, że z całego tzw. administracyjnie „Ostlandu". Zwożono ich rodzinami z ghetta, bądź też z robót sezonowych, po których zakończeniu nie wracali do ghetta, a jechali na śmierć.

A więc w październiku 1943 roku zaczął się okres masowego zwożenia Żydów do Ponar. Nikt naturalnie nie był o tym uprzedzony, ani nie wiedział, czy po ostatniej masowej egzekucji nastąpi jeszcze jedna, czy też dłuższa przerwa.

35

Jeden z moich znajomych, który od początku chwytał się był za głowę i zaklinał, że dnia nie wytrzyma dłużej, bo oszaleje, wytrzymał jednak bez mała trzy lata. Miałem do niego interes pilny. Nie przyjechał na umówione spotkanie do Wilna, więc nazajutrz pożyczyłem rower i rankiem ruszyłem do Ponar.

Ranek nie był dżdżysty, raczej tylko śliski. Co chwila przednie koło roweru wbiegało w płytką kałużę i co chwila jakiś liść ze ścieżki, bury, przylepiał się do gumy i obracał z nią kilkakrotnie, odpadał jak coś niepotrzebnego, a później lipnął drugi. Nad górami Ponarskimi wiatr pędził chmury pod chmurami, postrzępił je całe i powyciągał wzdłuż, ale do błękitu nieba nie mógł się przedrzeć. W wąwozach było cicho. Na drogach bocznych pusto-pustynno i woda deszczowa niezmącona przejezdnym kołem, stała w koleinach. — Dla kogoś rejestracja tych prostych faktów wydać się może błahą i niepotrzebną. Dla mnie była ona dekoracją jednego z największych przeżyć życia. — Minąłem bokiem tunel kolejowy, wjechałem w brzeźniak. Rower tu szedł po złotej ścieżce usłanej z liści i szeptał gumami: lip, lip, lip. A zaraz za brzeźniakiem wpadłem na wartownika. Był to Estończyk, z formowanych przez Niemców krajowych oddziałów SS. Czerwony na twarzy, jakby podpity dobrze. Zrobił ruch, że chce mnie zatrzymać, ale popatrzył tylko zamglonymi oczyma i puścił. Pojechałem ścieżką koło toru kolejowego.

Już z oddali widać było stojący na stacji pociąg osobowy. Stał na bocznym torze, bez pary. Ścieżka znosi mnie w dół, pod nasyp i oto mijam widok, który z wieloma tego dnia, utkwił mi chyba na zawsze w pamięci. Pod niskorosłą sosenką, wyrastającą, jak wiele w tych okolicach, dwoma pniami w kształcie liry, stoi drewniany stół. Na stole kilka wysmukłych butelek litrowych litewskiej monopolowej wódki, pocięty chleb i zwoje kiełbasy. Jakby stragan na odpuście. Stół otacza kilkanaście postaci w mundurach. — Nacisnąłem pedał. — „Halt!" powiedział Niemiec w mundurze Gestapowca. Wyjąłem dokumenty i odczuwam, że to wszystko razem jest wstrętne, ta wódka, i te twarze pijących, i to że mnie serce skacze pod gardło, i te zwoje kiełbasy, i fakt, że ten chleb pokrajał ktoś z takim pietyzmem na równe kawałki, a zwłaszcza ten stolik i dlaczego on się kiwa? Nie mogli to postawić go równiej? i co to ma w ogóle znaczyć? Kilku Niemców z Gestapo, kilku czarnych SS. Przeważają policjanci litewscy, ale też jakaś zbieranina w jasnych niemieckich mundurach z odznakami litewskimi, łotewskimi, estońskimi, ukraińskimi...

— Wo fahren sie hin? — pyta Niemiec, oddając mi papiery.

Tłumaczę, że do swego znajomego w osadzie. Kiwa głową i nożem, który trzymał cały czas w ręku, zabiera się do kiełbasy, a później dorzuca spokojnie: "Tylko musi się pan śpieszyć".

,,Po co oni piją tu tę wódkę?''... i nagle wyjeżdżam przed pociąg. W tym miejscu leżały w poprzek ścieżki porozrzucane podkłady kolejowe, więc zsiadłem z roweru i zaczynam na chwilę wszystko rozumieć. Bardzo długi pociąg (wówczas nie przyszło mi na myśl policzyć jego wagony) wypchany Żydami. Wyzierają zeń twarze, czasem do ludzkich twarzy niepodobne, ale inne o normalnym wyglądzie, niektóre nawet uśmiechnięte. Pociąg obstawiony jest policją. Jakoś to wszystko wygląda mi za prosto, jakoś nie tak, jak dyktowała dotychczas wyobraźnia. Czy podobna, żeby tych tu... ich wszystkich... Stanąłem wsparty o rower i w tej chwili jakaś młoda Żydówka wychyla się z okna wagonu i wprost, najnaturalniej w świecie, pyta policjanta:

— Czy prędko pojedziemy dalej?

Policjant spojrzał na nią, nie odpowiedział i miarowym krokiem wartownika wybierając podkłady pod stąpnięcie, odszedł, a zrównawszy się ze mną, powiedział w pół uśmiechu... (A nie był to uśmiech zły, ani zawstydzony, ani wesoły, raczej głupkowaty), powiedział wtedy:

— Ona się pyta, czy prędko pojedzie?... Ona już za pół godziny może żyć nie będzie.

Patrzę w to okno. Widzę jej twarz, a tam, tam pod łokciem wyłazi głowa dziewczynki i nawet coś na jej włosach na podobieństwo kokardki. Na dachu wagonu skaczą wróble. — I dziwna rzecz, ja myślę w tej chwili: ,,Ona pojedzie i dziewczynka z łachmankiem zamiast kokardki, pojedzie i oni wszyscy, cały pociąg. To raczej wartownik się myli''... ale gdy tak myślę, czuję, że nogi pode mną drżą. Ktoś wrzeszczy, bym tu nie stał. Odchodzę i wzrok mój pada na ten nieubłagany napis, wymalowany czarnymi literami na białym tle: ,,Ponary''. Tablica, jak tablica, wsparta na dwóch słupach; słupy wkopane w ziemię. To wszystko bardzo proste i takie same jak tablice innych stacji. Wszystkie one zawsze stoją naprzeciw zatrzymanego pociągu i przemawiają doń swymi literami.

Odchodzę za siatkę, przedzielającą w tym miejscu ślepy tor... ,,P'' jak Paweł... ,,onary'' same to nic nie znaczą, pusty dźwięk i w tej chwili dźwięki dochodzące z pociągu zaczynają brzęczeć, zrazu jak rankiem obudzony ul; później coś w nim rzęzi, potężnieje chrobot u zamkniętych na głucho drzwiczek, jak chrobot tysięcy szczurów, później robi się rwetes, gewałt straszny, przechodzi w ryk, wrzask, wycie... pękają uderzone pięściami szyby, trzeszczą, trzeszczą, a później łamią się pod naporem poniektóre drzwi. — Policjanci zaroili się, zwielokrotnili w oczach, zabiegali gestykulując i zrywając karabiny z pleców. Dał się słyszeć metalowy trzask zamków i ich, policjantów, dziki, groźny ryk, w odpowiedzi na ryk ludzi zamkniętych w pociągu.

Zobaczyłem jeszcze, jak wróble uleciały z dachu wagonu, a będąc już oddzielony metalową siatką od fatalnego toru, zdążyłem wskoczyć pod okap budynku stacyjnego. Chwała Bogu, stało tam jeszcze

37

dwóch kolejarzy w mundurowych czapkach. Nie byłem sam. Trzymam kurczowo rower i podświadomie czuję, że wobec tego co nastąpi, tego najstraszniejszego, co nastąpić musi, ten rower, ci kolejarze, do których przylgnąłem, to stanie w miejscu bez ruchu, to jedyna legitymacja na prawo dalszego życia. Stłoczyliśmy się razem za tym rowerem jak za szańcem, bo uciekać nie było już gdzie.

Żydzi zaczęli wyskakiwać z połamanych drzwi wagonów, a naprzeciwko biegli w sukurs straży, oprawcy w różnorakich mundurach. Z okien zaczęto wyrzucać tłumoki i walizki i oknami też wyłazili Żydzi, sami niechlujni i nieforemni, jak ich worki i pakunki. To było dziełem kilku sekund. — Pierwszy strzał padł w sposób następujący: jakiś Żyd wysiadł własnie tyłem przez ciasne okno, spuścił nogi i wystawił właśnie siedzenie, a policjant podskoczył i z odległości jednego kroku — strzelił mu w tyłek. Strzał padł głośny i zaraz zerwały się wrony z pobliskich drzew. W ogólnym harmiderze nie było słychać, czy krzyczał trafiony, zalopotały tylko jego zawieszone nogi, w podciągniętych prawie do kolan nogawicach, tak, że z bosych nóg spadł jeden kalosz, a drugi zadyndał na sznurku, przywiązany do kostki. Powstał upiorny wrzask i lament i wycie i płacz i ze wszystkich stron naraz gruchnęły strzały, gwizdnęły kule, spadły z chrzęstem łamanych kości i pękających czaszek, uderzenia kolb. — Ktoś skakał przez rów i trafiony między łopatki, spadł weń jak ciemny ptak z rozczapierzonymi na kształt skrzydeł ramionami. — Ktoś pełzł na czworakach pomiędzy szynami... Stary jakiś Żyd zadarł do góry brodę i wyciągnął ręce do nieba, jak na biblijnym obrazku i naraz chlupnęła mu z głowy krew i kawały mózgu... Potoczyły jakieś koszyki-kobiałki... wywrócił się w biegu jeden policjant... Tiuuuu! gwizdnęła kula... Tam leżało dlaczegoś kilku ludzi jeden na drugim... Cicho, w poprzek szyny leżał może dziewięcioletni chłopak i choć, gdyby krzyczał nie dosłyszeć by jego głosu, to widać było, że nie żył już, bo nie drgał. — Zakotłowało się pod kołami wagonów, bo tam większość szukała ratunku i tam ich najbardziej polewano z broni maszynowej, jak z sikawek, w ciemną masę złachmanionych postaci. — Oto zeskakuje ta młoda Żydówka, płowe jej włosy rozwiane, twarz wykrzywiona w nieludzkim strachu, z ucha, na kosmyku zwiesza się grzebyk, chwyta córeczkę... Nie mogę patrzeć. Powietrze rozdziera taki jazgot straszliwy mordowanych ludzi, a jednak rozróżnić w nim można głosy dzieci o kilka tonów wyższe, właśnie takie jak płacz-wycie kota w nocy. Nie powtórzy tego żadna litera wymyślona przez ludzi!

... Żydówka pada najpierw na twarz, później się przerzuca na wznak i zataczając ręką w powietrzu, szuka rączki swego dziecka. Ja nie słyszę, ale widzę z ułożenia ust małej, że woła ona: „mame!"... Na głowie jej dygoce wstążeczka z łachmanka i nachylona ku przodowi, chwyta matkę za włosy. — Czy wy myślicie, że ci oprawcy, kaci, gestapowcy, ss-mani, że ta policyjna hołota; zwerbowana do mordowania, nigdy się nie rodziła jak my, nie miała matek własnych? Kobiet? — Mylicie się. Są oni właśnie z tej ludzkiej gliny, po ludzku-zezwierzęceni, bladzi jak śnieg, który tu kiedyś spadnie, są jak szaleńcy, jak dzicy w tańcu, w ruchach, w obłędnych gestach, w mordowaniu, w strzelaniu... Bo jakżeby wytłumaczyć można, że ten oszalały kompletnie policjant chwyta Żydówkę za prawą nogę i usiłuje wlec ją pomiędzy szynami, cały zgięty, z gębą tak przekrzywioną, jakby ciętą na ukos szablą, dokąd?! po co?! Nogi kobiecie się rozstawiają, lewa zaczepia za szynę, spódnica zjeżdża do pasa, odsłaniając szare z brudu majtki, a dziecko, dziecko łapie włóczące się po kamieniach włosy matki i ciągnie je ku sobie i nie słychać, a widać jak wyje: „Mammme!"... Z ust wleczonej kobiety bucha teraz krew... Gęsta ściana mundurów zasłania na chwilę widok... A później jakiś Łotysz podniósł kolbę nad zwichrzonymi włoskami, uwiązanymi w ciemieniu kawałkiem łachmanka w kokardkę i... zamknąłem oczy, a zdawało mi się, że ktoś zadzwonił. Zadzwonił istotnie, kolejarz, ściskający konwulsyjnie kierownicę mego roweru, wpił się palcami w dzwonek, kurczowo nim targnął mimo woli, przechylił się naprzód i — rzyga; rzyga na żwir peronu, na opony przedniego koła, sobie na ręce, mnie na buty, rzyga w drgawkach, podobnych do konwulsji tych, w jakich umierają tamci na szynach...

Żyd chciał przeskoczyć rampę, ranny w nogę padł na kolana i teraz słyszę wyraźnie i kolejno: płacz, strzał, rzężenie... Ach, a ten co robi?!!! Ten tam, obok, o czterdzieści kroków, nie dalej, w czarnym mundurze! Co on chce zro... Rozkraczył nogi koło słupa, stanął ukosem, zamachnął się dwoma rękami... Sekunda jeszcze... Co on ma w ręku?! Co on ma w tych rękach?!!! Na rany Jezusa Chrystusa! na rany Boga! coś wielkiego, coś strasznie strasznego!!! zamachnął się i — bęc głową dziecka o słup telegraficzny!... Aaaa! aaa! aaa! — zakrakał ktoś koło mnie, kto taki — nie wiem. A w niebie... nie w niebie, a tle tylko nieba, zadrgały od uderzenia przewody drutów telegraficznych.

Nie wszyscy Żydzi opuścili pociąg. Większość została, skuta strachem, sparaliżowana w ruchach, z tą iskierką zapewne nie tyle nadziei już, co raczej obłędu, że — to nieporozumienie, że im powiedziano przecież oficjalnie, że „jadą na roboty do Koszedar". (Tak mówiono wszystkim transportom, które zawijały do Ponar). Byli też tacy, co wyskoczyli, a później struchleli, stanęli wyprostowani przy wagonach, skamieniali, jakby lojalnością swej śmierci chcieli się od niej wykupić. Tych strzelano na miejscu, tak jak stali.

Jak długo mogło „to" trwać? Bóg jeden, który patrzył na pewno, a widział nawet poprzez gęste chmury tego dnia, mógł policzyć minuty. Widocznie jednak zbliżała się jedenasta, bo od południa biegł pociąg pośpieszny z Berlina przez Wilno do Mińska, nie zatrzymujący się w Ponarach. Maszynista, widząc tłumy ludzi na szynach, z oddali już gwizdał wściekle i widać było, że hamował. Ale stojący u wylotu stacji gestapowiec zamachał energicznie, żeby się nie zatrzymywał. Maszynista dał parę boczną, syczącą w białych kłębach i zakrywając na chwilę widok, przejechał po trupach i rannych, krając tułowia, kończyny, głowy, a gdy znikał w tunelu i rozwiała się para, ostały już tylko wielkie kałuże krwi i ciemne plamy bezkształtnych ciał, walizek, tobołków, leżały do siebie wszystkie podobne i nieruchome. I tylko jedna głowa, ucięta u samej szyi, która potoczyła się na środek przejazdu, widoczna była wyraźnie jako głowa człowieka.

Pociąg z resztą Żydów stał już gęsto obstawiony strażami, a strzały dochodziły jeszcze częste, ale już bardziej oddalone, po lesie i wśród zabudowań osiedla.

Mówiono później, że kilkudziesięciu Żydom udało się jednak uciec. Resztę odprowadzono na ,,bazę''. Mówiono dalej, że takich transportów przybyło w tym miesiącu około siedmiu. Mówiono też, że zastosowano specjalne środki konwojowe, które by zapobiegały na przyszłość podobnym wypadkom, którego ja byłem świadkiem.

(J. M. ,,*Orzeł Biały*'' nr. 35/170)

Do Żydów.

Wybrany po raz niewiadomo który
Śród człowieczego potomstwa tej ziemi
Na wyniszczenie, na śmierć i tortury,
Tym razem nawet chirurgii i chemii

Zamknięty w ghettach i stadem stłoczonem
Do bram biegnący, by z nędzy i gruzów
Wieźli cię potem wapiennym wagonem
Ludzcy rzeźnicy do ludzkich szlachtuzów —

Byś nosząc gwiazdę Dawida dla śmiechu,
Że ongi silnych obalał był z procy,
Do ostatniego wciąż liczył oddechu
Na jakąś pomoc lub złudę pomocy —

Byś znakowany numerem na plecach
Odwszony z brudnych baraków i kojców,
Stosami kości nawarstwiał się w piecach,
Syn takich samych, jak wszyscy my, ojców —

Byś nie pojąwszy nic z losu własnego,
Od pierwszej chłosty po życia ostatek
Pytał się nieba i ziemi: dlaczego?
Syn takich samych, jak wszyscy my, matek —

Tak w swej niedoli cierpiący, jeżeli
Szukasz gdzie bliźnich, spójrz między upiory
Tych, co do końca wraz z tobą cierpieli.
Bracie z tej samej gazowej komory.

Tak w swej niedoli samotny, gdy pytasz
Czy nikt nie pojmie twych nieszczęść ogromu,
Spójrz kogo wlekli przez głuchy kurytarz
Tej samej nocy, tuż przy twoim domu.

Tak w swej niedoli przez możnych zdradzony,
Co świat sprzedali za kule i ołćw,
Spójrz jak ginęli nam bracia i żony,
Wszyscy zmieszani dziś w garści popiołów.

Tak pognębiony siłami ciemnemi,
Błądząc śrćd grobów i zmory bezsennej.
Spójrz jaką hańbę siał wróg w naszej ziemi,
Gdy w niej dolinę otwierał Gehenny.

Tak doświadczony, gdyś powstał w Warszawie,
By choćby ginąć, lecz wolnym nareszcie,
Spójrz co zostało po krwi i po sławie
Z naszej świątyni powstańcom w tem mieście.

Ach tak ze wszystkich narodów wybrany,
Spójrz jak jest wspólna Jeruzalem nasza,
Ty, coś od płaczu kamieniał u ściany
I coś nie przestał wciąż czekać Mesjasza.

Kaddisz.

Żałobnik:Niech będzie rozgłoszone i uwielbione Jego imię święte w świecie, który stworzył podług swej woli. Niechaj panuje królestwo Jego w czasie życia Jego i w czasie życia całego Domu Izraela, w tej chwili i w czasie bliskim i niech się tak stanie, Amen.

Zebrani i żałobnik : Niech będzie jego wielkie imię błogosławione zawsze i na wieki wieków.

Żałobnik : Błogosławione, wielbione i chwalone, wynoszone, wywyższone i czczone, rozgłoszone i sławione niech będzie imię Świętego, niech będzie On błogosławiony; a i tak jest On wyższy ponad wszystkie błogosławieństwa i hymny, modły i błagania, jakie są głoszone w świecie. I niech się tak stanie, Amen.

Zebrani i żałobnik : Niech będzie imię Boga błogosławione od tej chwili i na zawsze.

Żałobnik : Niech będzie obfity pokój z nieba i życie dla nas i dla całego Izraela; i niech się tak stanie, Amen.

Zebrani : Moja pomoc jest z Boga, który stworzył niebo i ziemię.

Żałobnik; Ten, który stworzył pokój na swych wysokościach, niechaj stworzy pokój dla nas i dla całego Izraela, i niech się tak stanie, Amen.

* * *

Tę modlitwę, zwaną ,,Kaddisz'' odmawiają Żydzi nad grobem przy grzebaniu swych zmarłych.

* * *

Dziwnie gra ten Beniamin. Wszystko, co mu każą. Gdy się patrzy na grającego, widać twarz skupioną, posągową, podobną do Geothego. Gra bardzo rzadko — wtedy, gdy na etapie jest pianino, a on sam wolny od służby gońca w batalionie. Beniamin jest całkiem inny, gdy gra Aidę lub Sonatę Patetyczną, a całkiem inny, gdy nosi sześć obiadów dla całej kancelarii. Dwu różnych ludzi. Dziwny, tajemniczy, nie-

43

zbadany, jak jego naród. Bo Beniamin pochodzi z Zaolzia, jest obywatelem czeskim, muzykiem, który zjeździł świat cały ü nakłaniany w Palestynie do pozostania tam, po wszystkim — w wieku czterydziestki służy w Armii Polskiej jako strzelec.

W pobliżu stoi stary żołnierz Karpackiej, (Beniamin gra teraz — jak to dziwnie brzmi — „Pożegnanie z Ojczyzną" Ogińskiego). Karpatczyk nie mówi nic. Semicki jego profil nie jest nienawistny. Pamiętam ten profil zasnuty pyłem libijskim w najtwardszych potrzebach tamtych walk: kiedy blady ze znużenia wychylał się ze składaka tobruckiego, obok którego wybuchł właśnie pocisk działa „Pavia". Kiedy wracał z całonocnego patrolu w Gazali. Nigdy się tak żydostwo nie maluje na twarzy, jak na wojnie — w strachu i zmęczeniu. Żyd z Bóbrki, zmuszony został — jak sam wyznaje — przez swą żonę Klarę we Lwowie do pójścia we Wrześniu w szeroki świat, by się bić do końca wspólnie z Polakami. Pozostał wierny po dziś dzień swemu obowiązkowi, choć nigdy nie mówi o sobie, że jest bohaterem.

Jakże inny jest świat Tory, czarnych chałatów, talesu, grobowca Sary od otaczającego życia wyzywającej jasności i bezpośredniością Europy! Jakże daleki świat Brodów, Bóbrki i Bobowy od Ancony, Perugii i Scapezzano!

Beniamin grając szepce coś do siebie i choć słucha wiernie wszystkiego,co mu do grania poddają, jest gdzieś daleko, daleko za światem, daleko stąd.

Dotarło ich aż do linii rzeki Cesano niewielu. Obliczają się sami na 1 procent. Zamiast pełnych dziesięciu! Ale ten jeden odsetek jest, walczy, zaciska zęby i wierzy w Polskę. Ten dobry odsetek. I sprawiedliwa Rzeczpospolita nie zapomni nigdy o tych, którzy stanęli w szeregu jej najlepszych synów. Życie, wszysko co człowiek ma najlepszego, przynieśli oni na polską mobilizację. W modlitwie „Kaddisz" słowem głównym jest „pokój" — rajwyższy ideał ludzki na ziemi. Pokój odrzucili Izraelici, którzy poczuli wspólnotę z tragiczną walką o Polskę. Wybrali miecz.

Niebo włoskie zamknęło się nad bł. p. Leonem Pastorem, Lewi Gruenbergiem, Zygmuntem Langsamem, Izaakiem Ancewiczem, Teodorem Baumem, Abramem Tenenbaumem, Józefem Thierbergerem. Maurycym Ungerem, Abrahamem Wurzlem, Henrykiem Zegrzę, i innymi. Padali na graniach cassińskich, nad wodami Chienti, Musone, Misa i Cesaro; na górach pod Recanati, Osimo i Anconą. Synowie zaułków Bielska, Żywca, Tarnowa, Podhajec; Łap i Lidy; którzy przeszli przez ziemię swych Proroków i nie wymienili jej za przybraną ojczyznę. Pastor, strzelec wyborowy, zginął od kuli strzelca wyborowego Niemca, a grób jego stanął wśród skał wzgórza 593 jak Arka

Przymierza między Polską a żydami z Polską w sercu. Langsam zosta-
wił brata w Armii Polskiej, a zginął jako wysunięty na patrol ochotnik
od kuli niemieckiej na przedpolach Ancony. Wyrżekli swym zgonem
machabejskie „Kidusz Haszem" — słowo najświętszej ofiary. Od tego
słowa nie mieli nic na ziemi świętszego. A takim świętościom musi
się wierzyć.

Beniamin gra Marsz Żałobny Chopina, semickie profile przygoto-
wują się na nocny patrol. Pozostało ich jeden procent. Spękanymi war-
gami szepczą: „Jeżeli zapomnę o Tobie, polska Jeruzalem, niechaj
uschnie prawica moja". Serce Polski bije i bić będzie dla nich.

Jan Bielatowicz

(*Orzeł Biały*, nr. 27, sierpień 1944)

45

Epilog.

Ten sam pokój. W miejscu okna dziura wyrwana pociskiem, zabarykadowana kredensem, krzesłami. Na barykadzie karabin maszynowy. Na lewo stół, na nim rozpięta mapa. Przed mapą Kluger. Przed karabinem Mały. Różowe światło łuny. (Wszyscy pojawiający się w tej scenie wyglądają jak widma).

KLUGER : Już powinni być z raportem... *(słychać szum samolotu)·*

MAŁY : Jeśli zapali się dach, to chyba... wyskakujemy oknem, co?

KLUGER : Nie. Schodzimy na dół. *(Zapatrzony w mapę)* Piwnicami można wycofać się do skrzyżowania... Potem ulicami.

MAŁY *(podniecony, nuci)* : Ty może myślisz, że ja się boję? *(śmieje się. Szum samolotu się zbliża. Mały skierowuje szybko karabin w górę)* Aa — jesteś, jesteś... no chodźże bliżej, bliżej... Za wysoko leci! Tchórz! *(drżącym głosem)* Zrzuca bomby zapalaj ce!

GLIKSMAN *(wchodzi, staniając się).*

KLUGER : Nareszcie! Jaki wynik?

GLIKSMAN : Jeden oddział S.S. zniszczony... Dwa czołgi...

KLUGER : Co? Co dwa czołgi?

GLIKSMAN : Unieszkodliwione... Dajcie mi wody...

KLUGER : Nie ma wody. Czy wykonano według planu?

GLIKSMAN : Za bramą... przy Długiej... byli zaskoczeni...

KLUGER : Wycofaliście się...

GLIKSMAN : Kanałem... daj mi wody... *(Opiera się o ścianę. Nagle nasila się łuna).*

JOSEK *(wpada)* : Pali się pod jedenastym!

MAŁY : Teraz ich złapię! *(Skierowuje karabin w dół).*

I CZŁOWIEK *(wpada)* : Pali się pod piętnastym !

MAŁY : To okno jest do diabła! Ja stąd nie mam obstrzału! Oni kryją się za rogiem! Ja stąd idę! *(Chwyta karabin).*

KLUGER : Zostań.

MAŁY : Ja stąd nie mogę strzelać! Ja takich rozkazów nie będę słuchał! *(Fala dymu wciska się do pokoju. Słychać krzyki, płacz kobiet).*

II CZŁOWIEK *(staje w drzwiach)* : Pali się naokoło. Co robić?

KLUGER : Ile amunicji jest w piwn:cy?

II CZŁOWIEK : Tej nocy przyszło kanałem 50 skrzynek. Razem około 80. (Nagły chóralny śmiech za oknem. Wołania : Komm her! Komm her!)

WSZYSCY (stoją przez chwilę bez ruchu).

II CZŁOWIEK : Nasi... wyskakuj) oknami...

GLIKSMAN : Dajcie już spokój... Niech już będzie kon:ec...

KLUGER : Wycofujemy s:ę piwnicami w kierunku na numer 15. Zabieramy amunicji ile się da. Do skrzyżowan:a. Potem ul:cami. W kierunku Powązek.

DAWID (wśliznął się do pokoju) : Łapią... odkryli...

JOSEK : Czego ty tu chcesz?

DAWID : Po jednej i drugiej stronie... Jak s:ę kończ ; piwnice... Oni tam stoj ; i łap:ą... Już nie można uciekać...

II CZŁOWIEK : Pewno zablokowali wyjścia...

MAŁY : To możemy zrobić wypad. Wielka rzecz... phi... Ja ustawię karabin po drugiej stronie ulicy. Bardzo dobra pozycja. Oni n:e podchodzą blisko, jak się pali.

KLUGER (do Daw:da) : Tyś przeszedł piwnicami do końca?

DAWID (kręci się n:eprzytomny) : Od tyłu też nie można. Ja próbowałem przez podwórze... Łapią... Ja do nich pójdę...

JOSEK (skoczył ku drzwiom).

DAWID : Może oni nie zabijaj) wszystkich? Ja im coś powiem... ja im coś dam... Tu jest bardzo gor ,co... (Już nie może traf :ć do drzwi) Tu jest bardzo gorąco... (Upada).

JOSEK : Nic im nie powiesz. Nic im n:e dasz.

KLUGER : Robimy wypad.

MAŁY : Wypad.

KLUGER : Od bramy na prawo biegiem. Ja prowadzę. Przygotować granaty. Karabiny. Jeden zostaje, niszczy amunic:ę. Kto?

jOSEK :

Ja.

KLUGER : Żołnierz żydowskiej Organizacji Bojowej Josek Berg wysadza w powietrze dom przy ulicy Smoczej 13.

GLIKSMAN (cicho) : Koniec.

KLUGER : Nie. Nie koniec. Za nasze męczarnie, za nasze upodlenie, za śm:erć w torturach, za śmierć w płomieniach, za śmierć z głodu, za nierówną walkę, za to, żeśmy wytrwali sami, za to, że zg:niemy walcząc, wystawiamy światu rachunek. Nasze ostatnie strzały s) żądaniem zapłaty. Giniemy wolni — za wolność.

GLIKSMAN (podnosi ramiona) : Słyszyc:e nas? Słyszyc:e nas?

Ściskają sobie dłonie. Wychodz :. Kurt ,na opada powoli. Strzały. Kurtyna spada Detonacja.

KONIEC

Fragment z dramatu w trzech aktach
pt. „Smocza 13" Stefanii Zahorskiej.

SPIS RZECZY

Przypisy od redakcji

O redaktorach książeczki, wymienionych na stronie tytułowej:

Hugo Schlesinger (1920–1996) — pisarz; w 1946 osiadł w Sao Paolo w Brazylii; pisał tam głównie na temat relacji żydowsko-chrześcijańskich; w 1962 założył Radę Chrześcijańsko-Żydowskiego Braterstwa.
Stanisław Borkowski – żołnierz 2. Korpusu w randze strzelca

s. 3, wiersze 4-5 od góry: powinno być zapewne: *ed hagal haze weeda hamacewa*; parafraza wersetu z *Księgi Rodzaju* 31:52 (hebr., ta stela, którą ustawiłem jako świadectwo między Mną a Tobą).

s. 3, wiersze 10-11 od góry: **Hasmonejczycy** – potomkowie Matatiasza, inicjatora zwycięskiego powstania przeciwko królowi syryjskiemu Antiochowi IV, które wybuchło w 168 lub 167 roku p.n.e.

s. 3, wiersz 2 od dołu: **Haman**, pierwszy minister króla Persji, z powodu osobistej urazy do Żyda Mordechaja dążył do wymordowania wszystkich Żydów w tym państwie. Królowa Estera, siostrzenica Mordechaja, wyjawiła ten plan królowi. Na jego rozkaz Haman został powieszony. Opowieść ta, zapisana w *Księdze Estery*, jest czytana podczas święta Purim.

s. 4, tytuł: **Jiskor**, właśc. Jizkor (hebr., oby wspomniał [Pan duszę]) – modlitwa za zmarłych.

s. 5, podpis pod tekstem: **Tomasz Arciszewski** (1877–1955), premier rządu polskiego na uchodźstwie 1944–1947, po wojnie pozostał w Londynie. **Rada Narodowa Rzeczypospolitej Polskiej** – organ doradczy i opiniodawczy rządu i prezydenta polskiego na emigracji, powołana w grudniu 1939 w Paryżu; od czerwca 1940 w Londynie.

s. 7, wiersz 5 od góry: **Żydowska Organizacja Bojowa (ŻOB)** – utworzona pod koniec lipca 1942 w getcie warszawskim, konspiracyjna organizacja, złożona z grup bojowych różnych żydowskich organizacji politycznych.

s. 7, wiersz 8 od góry: **Michał Klepfisz** (1913–1943) – patrz: „Bohater Ghetta ..."

s. 23-24; **Cywia/Celina Lubetkin** (1914–1978), jedyna kobieta w dowództwie ŻOB; brała udział w 1944; żona **Icchaka** „**Antka**" **Cukiermana** (1914–1981) jednego z założycieli ŻOB. W 1946 oboje wyjechali do Palestyny, gdzie założyli Muzeum Bojowników Gett.

s. 8, autor: **Adam Ciołkosz** (1901–1978), poseł na sejm RP z ramienia Polskiej Partii Socjalistycznej 1928–1932; 1940–1941 członek Rady Narodowej RP w Londynie.

s. 9, wiersz 7 od góry: **bundowiec**, dalej też na s. 10 w. 13 od góry: **bundystka** – członkowie Bundu, właśc. Ogólnożydowskiego Związku Robotniczego „Bund" na Litwie, w Polsce i w Rosji, założonego w 1897.

s. 10, wiersz 15 od dołu: **PPS** (Polska Partia Socjalistyczna) została założona w 1892; od 1939 działała jako Wolność, Równość, Niepodległość; jej frakcja – Polscy Socjaliści – walczyła w powstaniu w getcie warszawskim w 1943.

s. 12, wiersz 2 od góry: **Der Tag** (żyd., Dzień) – popularny dziennik wydawany w języku żydowskim w Nowym Jorku.

s. 12, wiersz 3 od góry: **ITA** – zapewne **JTA** (ang. *Jewish Telegraphic Agency*) – Żydowska Agencja Telegraficzna.

s. 12, wiersz 4 od góry: **Generał Władysław Anders** (1892–1970), dowódca Armii Polskiej w ZSRR 1941–1942, później II Korpusu Armii Polskiej na Zachodzie.

s. 12, wiersz 10 od dołu: **Generał Marian Kukiel** (1885–1973), minister obrony narodowej w rządzie RP na uchodźstwie 1942–1949.

s. 13, wiersz 11 od góry: **Generał Tadeusz Bór-Komorowski** (1895–1966), dowódca AK 1943–1944, podjął decyzję o rozpoczęciu powstania warszawskiego 1 VIII 1944; od 1946 naczelny wódz polskich sił zbrojnych na uchodźstwie, 1947–1949 premier rządu RP na uchodźstwie.

s. 13, wiersz 12 od dołu: **SS** (niem., *Die Schutzstaffeln*), Sztafety Ochronne NSDAP, obejmujące oddziały frontowe i załogi obozów koncentracyjnych.

s. 13, wiersz 10 od dołu: **Generał Antoni Chruściel** (1895–1960), od października 1940 szef sztabu komendanta Okręgu Warszawa-Miasto ZWZ-AK; od maja 1940 – komendant okręgu; w powstaniu warszawskim faktyczny dowódca całości sił powstańczych.

s. 14, wiersz 3 od góry: informacja o dostatecznym zaopatrzeniu getta w żywność była sprzeczna z prawdą.

s. 15, wiersz 1 od góry: **Aleksander Grynberg/Grünberg** (1914–1944), kapral, zginął pod Monte Cassino. Na cmentarzach w **Loreto i na Monte Cassino** znajdują się groby 29 żołnierzy Żydów.

s. 15, wiersz 10 od góry: właśc. **pillbox** (ang. bunkier).

s. 15, wiersz 16 od góry: **Jakub Liberman**, syn Kalmana (1 IX 1915 Kraków – 12 V 1944 Monte Cassino).

s. 15, wiersz 9 od dołu: „**Widmo**", ang. „*Phantom Ridge*" – jedna z kluczowych strategicznie pozycji podczas walk o Monte Cassino.

s. 15, wiersz 2 od dołu: **Dywizja Karpacka** – Samodzielna Brygada Strzelców Karpackich, powołana rozkazem naczelnego wodza gen. Władysława Sikorskiego w 1940, sformowana w Syrii. Po klęsce Francji przeszła do Palestyny, podporządkowana dowództwu brytyjskiemu. W sierpniu 1941 broniła twierdzy Tobruk (w Libii). Od 3 V 1942 przekształcona w 3. Dywizję Strzelców Karpackich, od 12 IX 1942 weszła w skład II Korpusu Polskiego.

s. 16, wiersz 3 od góry: **5. Dywizja Kresowa**, powstała w marcu 1943 w ZSRR; w składzie II Korpusu Polskiego od listopada 1943 do kwietnia 1944.

s. 16, wiersze 16-18 od góry: **27. Pułk Ułanów im. Króla Stefana Batorego**, sformowany w 1920; **1. Pułk Strzelców Konnych**, stacjonujący w Garwolinie w latach 1925–1939.

s. 16, wiersz 2 od dołu: **Adam Graber** (8 II 1896 Warszawa – 8 V 1944 Monte Cassino), lekarz, porucznik.

s. 17, wiersz 3 od góry: **CCS** (ang., *Casualty Clearing Station*) – punkt udzielania pierwszej pomocy rannym.

s. 17, wiersze 5-10 od góry: **Eliasz Szapiro**, syn Wolfa (23 III 1914 Nowogródek – 8 V 1944 Monte Cassino); **Leon Pastor**, syn Jakuba (7 IX 1924 Bielsko śląskie – 18 V 1944 Monte Cassino); **Szlomo (Stanisław) Lipszyc/Lipschutz**, syn Samuela (6 XI 1922 Kraków – 12 V 1944 Monte Cassino); **Chuna Sztybel**, syn Icka (III 1913 Zamość – 12 V 1944 Monte Cassino); **Hersz Zygman,** syn Tauby (15 II 1901 Siedlce – 17 V 1944 Monte Cassino); **Marek Szapiro** (7 I 1915 Wiedeń – 17 V 1944 Monte Cassino).

s. 18, nadtytuł: **1 Dywizja Pancerna** sformowana w 1942 na bazie jednostek I Korpusu Polskiego w Wielkiej Brytanii, pod dowództwem gen. Stanisława Maczka, od lipca 1944 walczyła w Normandii (pod Falaise), w Belgii, Holandii i Niemczech.

s. 18, wiersz 9 od góry: **biały i niebieski** to barwy syjonistów; są to kolory flagi izraelskiej.

s. 18, wiersz 14 od dołu: **Ha-Noar ha-Cijoni** (hebr. Młodzież Syjonistyczna) – organizacja powstała w 1932, związana z radykalnym skrzydłem ogólnego syjonizmu, odwołująca się do tradycji skautowej (harcerskiej).

s. 19, wiersz 5 od dołu: mowa tu o niemieckiej ofensywie w Ardenach w grudniu 1944 – ostatniej dużej operacji wojsk niemieckich na froncie zachodnim.

s. 19, podpis: **„Nasza Trybuna"** – miesięcznik społeczności żydowskiej ukazujący się w językach polskim i angielskim w Nowym Jorku w latach 1940–1951.

s. 20, wiersze 12-13 od góry: **SS Pol. Führer** (niem. *SS und Polizeiführer*) to dr Ferdinand von Sammern-Frankenegg; zaskoczony oporem wycofał się z getta po kilku godzinach walk. Zastąpił go dowódca SS i policji Brigadeführer Jürgen Stroop, który doprowadził do zduszenia powstania w getcie.

s. 20, wiersze 14-15 od góry: święto Pesach, którego początek w 1943 wypadał 19 kwietnia wieczorem.

s. 20, wiersze 6-8 od dołu: **szopy** – przedsiębiorstwa w getcie warszawskim produkujące na potrzeby gospodarki wojennej III Rzeszy; **Fritz i Karl Georg Schultz** oraz **Walter Caspar Toebbens** (na s. 23, wiersze 4-5 od dołu błędnie: Troebbens) byli właścicielami największych szopów. W styczniu 1943 robotnicy z getta wraz z maszynami mieli być przewiezieni do obozów pracy przymusowej w Trawnikach i Poniatowej (por. przypisy do s. 32 i 33).

s. 20, wiersz 2 od dołu: **SS Waffen** – siły zbrojne SS (por. przypis do s. 13); **Schupo** (niem. *Schutzpolizei*) – niemiecka policja porządkowa.

s. 21, wiersz 5 od góry: **stukas** (skrót od niem. *Sturzkampfflugzeug*) – bombowiec nurkujący.

s. 21, wiersz 17 od góry: **teren „szczotkarzy"** – szop produkujący szczotki, w rejonie ulic Świętojerskiej, Wałowej i Bonifraterskiej.

s. 21, wiersz 20 od dołu: **Pola Elster** (1909–1944), działaczka Poalej Syjon Lewicy, członkini Krajowej Rady Narodowej; zginęła w powstaniu warszawskim w sierpniu 1944.

s. 22, wiersze 14-17 od góry: **Michał Klepfisz** – wspomnienie o nim na s. 23-24; **Mordechaj Anielewicz** (1919–1943), od grudnia 1942 komendant ŻOB; 19 IV–8 V 1943 dowódca powstania w getcie warszawskim; 8 V 1943 zginął w zdobytym przez Niemców bunkrze sztabu ŻOB przy ul. Miłej 18. **Józef Kapłan** (1913–1942), członek ŻOB, 3 IX 1942 aresztowany przez gestapo i skazany na śmierć; wyrok wykonano 11 IX w więzieniu na Pawiaku. **Hersz „Jeleń" Berliński** (1908–1944), działacz Poalej Syjon Lewicy; członek sztabu i dowódca grupy bojowej ŻOB, zginął w powstaniu warszawskim w sierpniu 1944. **Elijahu „Elek" Ehrlich**, kanałami uciekł z getta warszawskiego, zginął w powstaniu warszawskim 1944. **Cywia Cukierman** – por. przyp. do s. 7. **Wanda (Bela) Elster**, siostra Poli (por. przyp. do s. 21); walczyła w powstaniu w getcie warszawskim 1943 i w powstaniu warszawskim 1944, po wojnie wyemigrowała do Palestyny. **Jonas Turkow** (1898–1988), dyrektor teatru w getcie warszawskim, aktor i organizator wydarzeń kulturalnych na terenie getta, współpracownik Emanuela Ringelbluma; po ucieczce z getta od 1943 do zakończenia wojny walczył w szeregach AK.

s. 22, wiersz 20 od góry: **Umschlagplatz** – plac u zbiegu ulic Stawek i Dzikiej, z którego od 22 VII do 21 IX 1942 Niemcy wywieźli ponad 260 tys. więźniów warszawskiego getta do ośrodka zagłady w Treblince.

s. 22, wiersz 20 od góry: **Befehlstelle** – siedziba komendy SS kierującej akcją wywozu ludzi z getta, mieściła się przy ul. Żelaznej 103.

s. 22, wiersz 21 od góry: Inż. **Marek Lichtenbaum** po samobójstwie Adama Czerniakowa 23 VII 1942 przewodniczący warszawskiej Rady Żydowskiej (RŻ); zamordowany przez Niemców w kwietniu 1943. **Alfred Sztolcman**, bankier, zastępca przewodniczącego RŻ; zamordowany przez Niemców w kwietniu 1943. **Gustaw (Gamzaj) Wielikowski**, adwokat, członek prezydium Żydowskiej Samopomocy Społecznej (ŻSS), doradca szefa dystryktu ds. opieki społecznej, członek prezydium Rady Żydowskiej. Inż. **Stanisław Szereszewski**, bankier, pochodził ze znanej rodziny warszawskich filantropów, członek RŻ.

22, wiersze 24-25 od góry: **Żydowska Służba Porządkowa** (niem. *Ordnungsdienst*), potocznie zwana policją żydowską, była podporządkowana radom żydowskim w gettach.

s. 22, wiersz 18 od dołu: liczby tu podane wydają się zawyżone; według tzw. Raportu Stroopa, straty niemieckie wyniosły około 300 rannych i 16 zabitych; te liczby z kolei wydają się zaniżone.

s. 22, wiersz 15 od dołu: **Wielka Synagoga na Tłomackiem**, wzniesiona w 1878, została wysadzona w powietrze przez J. Stroopa 16 V 1943, w symbolicznym końcowym akcie zniszczenia Żydów Warszawy. Cmentarz żydowski założony w 1806 istnieje do dziś z zachowanymi w większośći nagrobkami.

s. 22, wiersz 11 od dołu: **EK** (niem. *Eiserne Kreuz*) – Krzyż Żelazny, najwyższe niemieckie odznaczenie wojskowe nadawane za męstwo na polu walki, a także za sukcesy dowódcze.

s. 22, wiersz 4 od dołu: **obóz koncentracyjny na Gęsiej**, tzw. Gęsiówka, utworzony w lipcu 1943. Sprowadzeni tam zostali, głównie z obozu Auschwitz, Żydzi greccy, francuscy, niemieccy, austriaccy, belgijscy i holenderscy. 5 VIII 1944 żołnierze batalionu AK „Zośka" wyzwolili 348 więźniów, w tym 24 kobiety. Część oswobodzonych Żydów wzięła udział w powstaniu warszawskim.

s. 23, wiersz 10 od góry: **Świt** – polska radiostacja rządowa, nadająca spod Londynu audycje, wezwania i komunikaty w języku polskim.

s. 24, wiersze 14-17 od góry: według tzw. Raportu Stroopa, siły niemieckie liczyły 2054 żołnierzy i 36 oficerów, w tym 821 grenadierów pancernych Waffen-SS oraz 367 tzw. granatowych policjantów tworzących kordon wokół murów getta; było to średnio ok. 2000 ludzi dziennie.

s. 24, wiersz 15 od dołu: por. przyp. do s. 22, wiersz 18 od dołu.

s. 24, wiersz 12-13 od dołu: właśc. Centralne Kierownictwo Ruchu Mas Pracujących Miast i Wsi (PPS-WRN)

s. 26, wiersz 7 od góry: **„wacha"** – posterunek policji niemieckiej, żydowskiej i polskiej przy bramie getta

s. 26, wiersz 14 od góry: **„międzygetto"** – obszar wzdłuż ul. Chłodnej oddzielający tzw. duże i małe getto; od 16 II 1942 łączył je drewniany most przy ul. Żelaznej.

s. 27, wiersz 14 od góry: SS-Obergruppenfhürer **Odilo Globocnik** – dowódca SS i policji na dystrykt Lublin Generalnego Gubernatorstwa, dowódca Akcji Reinhard.

s. 27, wiersz 19 od góry: właśc. niem. *Werterfassungstelle* – magazyn SS, w którym składowano i selekcjonowano odzież i inne dobra po zamordowanych Żydach. W tamtym czasie 1 mln złotych wart był około 4630 dolarów.

s. 28, wiersze 3-17 od dołu: **Icchak Cukierman**, patrz przyp. do s. 7; **Arie „Jurek" Wilner** (1917–1943), członek Ha-Szomer ha-Cair, łącznik między ŻOB a AK; **Symche Ratajzer „Kazik"** (1924–), członek ŻOB, łącznik Cukiermana; walczył w powstaniu 1944; mieszka w Jerozolimie; właśc. **Lutek**

Rotblat (1921–1943), przywódca syjonistycznej organizacji Akiba; **Morde-chaj Anielewicz**, patrz przyp. do s. 22, wiersze 14-17 od góry. Nazwisk pozostałych wymienionych tu bojowców nie udało się ustalić.

s. 29, wiersz 6 od dołu: **UNRRA** (ang. *United Nations Relief and Rehabilitation Administration*) – Organizacja Narodów Zjednoczonych do Spraw Pomocy i Odbudowy, organizacja powstała w 1943 dla niesienia pomocy krajom alianckim zniszczonym podczas II wojny światowej.

s. 30, wiersze 1-2 od dołu: **Wiktor Alter** (1890–1943), **Henryk Erlich** (1882–1942) – członkowie kierownictwa Bundu, więzieni w ZSRR 1939–1941, ponownie aresztowani przez władze radzieckie w grudniu 1941, skazani na śmierć, zginęli w ZSRR.

s. 32, wiersze 6-7 od góry: **WIS (VIS)** – pistolet polski; **Parabellum** – pistolet niemiecki.

s. 32, wiersze 9-12 od góry: **Jakub Lejkin** – zastępca szefa Żydowskiej Służby Porządkowej w getcie warszawskim; **Izrael Fürst** (First), kierownik wydziału gospodarczego warszawskiej Rady Żydowskiej i jej stały łącznik z niemieckimi władzami okupacyjnymi; zabity 29 XI 1942 przez ŻOB („**macher**" – żyd.; tutaj: spekulant, oszust); właśc. **Alfred Nossig** (1864–1943) – rzeźbiarz, literat, szef Wydziału Sztuk Pięknych RŻ; w styczniu 1943 przekazał Gestapo memoriał zawierający informacje o żydowskim ruchu oporu; zabity przez ŻOB.

s. 32, wiersz 10 od dołu: właśc. **Poniatowa** – miejscowość na zachód od Lublina; od IX 1941 obóz dla jeńców radzieckich, od I 1943 obóz pracy przymusowej dla 60-70 tys. Żydów wywiezionych z Warszawy; zostali wymordowani 3-4 XI 1943.

s. 33, wiersz 2 od góry: zagłada **białostockiego getta** została dokonana 15–16 VIII 1943.

s. 33, wiersz 7 od góry: **Trawniki** – obóz pracy na płd.-wschód od Lublina, utworzony 1941 początkowo dla jeńców radzieckich; istniał do 1944. Miejsce szkolenia oddziałów pomocniczych armii i policji (złożonych m.in. z folksdojczów), wykorzystywanych m.in. do zagłady Żydów.

s. 33, wiersz 8 od góry: niemiecki ośrodek zagłady w **Treblince** działał od 23 VII 1942. Zginęło tam ponad 800 tys. Żydów, głównie z Polski. Licząca 50-70 osób grupa więźniów podjęła walkę 2 VIII 1943. Pod koniec 1943 Niemcy starali się całkowicie zatrzeć ślady po obozie.

s. 33, wiersze 14-15 od góry: wspomniane tu akty oporu miały miejsce w **Tarnowie** VI 1942, w **Będzinie** 3 VIII 1943, w **Częstochowie** 4 I 1943, w **Borysławiu** VIII 1943.

s. 33, wiersz 11 od dołu: niemiecki ośrodek zagłady w **Sobiborze** działał od początku V 1942 do 14 X 1943. Zginęło tam ponad 250 tys. Żydów z Polski i kilku krajów Europy. 14 X 1943 wybuchło powstanie. Spiskowcom udało się zabić kilkunastu esesmanów i kilkudziesięciu ukraińskich strażników. Uciekło około 300 więźniów, spośród których przeżyło około 50.

s. 33, wiersz 8 od dołu: nie udało się znaleźć potwierdzenia tej informacji.

s. 35, tytuł: „**Baza**" to określenie miejsca straceń. W podwileńskich **Ponarach** zginęło ok. 70-100 tys. osób, w większości Żydów.

s. 35, wiersz 9 od góry: właśc. **Generalne Gubernatorstwo** – jednostka administracyjno-terytorialna, utworzona na okupowanych ziemiach II RP na podstawie dekretu Hitlera obowiązującego od 26 X 1939.

s. 35, wiersz 7 od dołu: właśc. niem. *Reichskommissariat Ostland* – cywilna jednostka administracyjna na okupowanych przez Niemcy terenach Estonii, Łotwy, Litwy i części Białorusi.

s. 40, podpis: **J. M.** – Józef Mackiewicz (1902–1985), pisarz i publicysta; redaktor wileńskiej „Gazety Codziennej" 1939–1941; w 1943 brał udział w ekshumacji ciał polskich oficerów, zabitych w Katyniu i złożył o tym relację; od 1945 na emigracji: we Włoszech, Wielkiej Brytanii, od 1954 w Niemczech.

s. 41, autor: **Kazimierz Wierzyński** (1864–1969) – poeta, prozaik, eseista. Od 1941 w USA; redaktor wydawanych w Nowym Jorku: *Tygodniowego Przeglądu Literackiego Koła Pisarzy z Polski* (1941–1942) oraz *Tygodnika Polskiego* (1943–1947).

s. 43, tytuł: **Kaddisz** (kadisz, kadysz) – jedna z najważniejszych i najczęściej odmawianych modlitw liturgii żydowskiej, wyraża wiarę w jedynego Boga i poddanie się Jego woli; odmawiana jako modlitwa za zmarłych.

s. 44, wiersze 9-10 od góry: **składak tobrucki** – rodzaj namiotu.

s. 44, wiersz 11 od góry: bitwę pod **Gazalą** stoczyły oddziały Afrika Korps z siłami brytyjskiej 8. Armii w ramach Zachodniej Kampanii Pustynnej prowadzonej w rejonie Tobruku 26 V–21 VI 1942.

s. 44, wiersze 7-10 od dołu: **Leon Pastor** (patrz przypis do s. 17, wiersze 5–10 od góry), **Lewi Gruenberg**, syn Altera (17 V 1915 Siedlce–21 VII 1944 Loreto);

Zygmunt Langsam, syn Jakuba (24 VIII 1914 Żywiec – 8 VII 1944 Loreto); **Izaak Ancewicz** (15 VII 1912 Świsłocz – 12 VII 1944 Loreto); **Teodor Baum**, syn Juliusza (20 V 1921 Łódź – 12 V 1944 Monte Cassino); **Abraham Tenebaum** (20 I 1911 Brzeziny, pow. Tomaszów – 17 VII 1944 Loreto); **Józef Thierberger**, syn Salomona (5 I 1909 Bestwina, pow. Biała Krakowska – 11 V 1944 Monte Cassino); **Maurycy Unger**, syn Salomona (11 I 1911 Dukla, pow. Krosno – 12 V 1944 Monte Cassino); **Abraham Wurzel**, syn Solomona (4 III 1913 Jarosław – 12 V 1944 Monte Cassino); **Henryk Zegrze** (1 X 1915 Warszawa – 12 V 1944 Monte Cassino).

s. 44, wiersz 5 od dołu: **Ancona** została zdobyta przez II Korpus Polski gen. W. Andersa 18 VII 1944.

s. 45, wiersz 7 od dołu: **Kidusz ha-Szem** (hebr., Uświęcenie [Bożego] Imienia) – koncepcja, według której Żyd powinien być gotowy na śmierć, gdyby żądano od niego sprzeniewierzenia się nakazom judaizmu.

s. 45, wiersze 1-2 od dołu: parafraza Psalmu 137, 5:7.

s. 45, podpis: **Jan Bielatowicz** (1913–1965) – prozaik, poeta, krytyk literacki, redaktor, bibliograf; żołnierz II Korpusu; od 1946 do końca życia w Londynie.

s. 47, podpis: **Stefania Zahorska** (1889–1961) – pisarka, historyk sztuki, współzałożycielka Stowarzyszenia Pisarzy Polskich w Londynie.

Polish Jew –
Polish Soldier

Table of Contents

Polish Jew –
Polish Soldier

(1939–1945)

H. SCHLESINGER
ST. BORKOWSKI

ISSUED by the OFFICE of the CHIEF JEWISH CHAPLAIN of the POLISH SECOND CORPS

About Editors:

Hugo Schlesinger (1920–1996) settled after the war in São Paolo, Brazil, where he continued as a writer for fifty years. In 1962, he formed a Christian-Jewish Brotherhood Council. His postwar writings specialized in Jewish-Christian relations.

St[anisław] Borkowski was a rifleman in the Second Corps

Original cover designed by Tadeusz Wąs

English translation copyright © 2008 by Julian J. Bussgang

Footnotes copyright © Julian Bussgang, Magdalena Prokopowicz, and Eleonora Bergman

---

Published by the Culture and Press Department of the Second Corps

Printed by the Field Press of the Second Corps of the Polish Army

Foreword

The Chief Rabbi of the Second Corps

Immersed in sorrow and with deep emotion but also with a great deal of pride, I release this booklet into the world.

In accordance with the Biblical words "ed hagal hazeh ve'edah hamatsevah"—may it be a monument forever, recounting to future generations the heroism and valor of Jews who were soldiers in this most horrible, bloodiest, and most merciless of all wars.[1]

As descendants of our heroic Hasmoneans,[2] Jewish soldiers followed faithfully this magnificent example and, without regard to the menacing danger, fully performed their duty.

To all of them, those who died as well as those who are living, officers and enlisted men, doctors and medical attendants—may this collection be an expression of our highest praise and our most sincere appreciation for the diligent fulfillment of their duties.

We shall never forget those who laid down their lives in combat with the modern Haman in order to save the world and humanity from annihilation.[3]

Senior Rabbi Dr. Natan RÜBNER
Chief Jewish Chaplain
Second Corps

Italy, Autumn 1945.

---

[1] Genesis 31:52.

[2] The Hasmoneans, descendants of Mattathias, initiated a successful rebellion for religious freedom and independence against the cruel Syrian king Antiochus IV (168 or 167 BCE).

[3] Haman, prime minister of Persia under King Ahashuerus, plotted to kill all the Jews of Persia. His plot was thwarted by Queen Esther, herself a Jew, and her uncle Mordechai. This story is read from the Book of Esther each year at the spring festival of Purim.

YIZKOR[4]

ETERNAL GOD!

THOU WHO REIGN IN HEAVEN, SURROUND THE
SOULS OF OUR DEAD AND FALLEN WITH MERCY
AND COMPASSION. WE BESEECH THEE, OH
HOLY ONE, TO GRANT THEIR SOULS ETERNAL
PEACE. MAY THEY BE ADMITTED TO PARADISE
WHERE ALL THE PIOUS AND JUST FIND REST.
THERE, IN HEAVENS, MAY THEY BE BY YOUR
SIDE IN RECOGNITION OF THEIR SERVICE
RENDERED IN THE BATTLE AGAINST BARBARITY
AND IN THE CAUSE OF PROGRESS AND
FREEDOM OF MANKIND.

AMEN.

---

[4] *Yizkor* [in Hebrew, remembrance] is a memorial prayer service.

". . . National minorities in Poland shall enjoy full equality of rights. They will not only have the same obligations, but they shall also enjoy equal rights with the Polish population. The Government will devote special attention to the Jewish people, who have suffered the greatest and most painful losses in the struggle with the occupiers and who were not only able to endure the suffering but to fight bravely against the Germans as attested to by the defense of the Warsaw Ghetto in 1943. Restating our expressions of sympathy for the persecuted and our words of condemnation of the executioners, the Government declares that in accordance with our oft-repeated declarations—all the German ordinances directed against the Jews in Poland are unlawful and invalid. The Government shall apply all possible efforts to the extent possible to repair the evil caused by the German barbarians and to restore the situation in a manner consistent with the best traditions of Polish tolerance."

(Excerpt from the speech to the National Council[5]
by the Prime Minister of the
Government of the Republic of Poland T. Arciszewski).[6]

[5] *Rada Narodowa* [National Council] was formed in December 1939 to advise the Polish government-in-exile in Paris during World War II. After the government evacuated to London, the Council continued to function there.
[6] Tomasz Arciszewski (1877-1955)-Prime Minister of the Polish government-in-exile in London from 1944 to 1947. He remained in London after the war.

HUGO SCHLESINGER

A Duty Fulfilled

(A side note to the struggles of a Polish-Jewish soldier)

Motto:

He who wishes to win for himself a life of freedom will attain it. But one must know how to die without regrets for a life of freedom. Death in the cause of a life of freedom is a hundredfold better than a debased life of slavery. Such a death becomes a liberation.

S. ŻEROMSKI[7]

. . . And yet another chapter in the history of Polish Jewry has closed, written in letters of blood. Only sad memories remain, inflicting wounds in our hearts. The tragedy of the 1939–45 period has been so great that it is hard to imagine how one could have endured all that the Polish Jew has suffered. Nonetheless, he has always stood watch over FREEDOM and HONOR. From the very first moment, since September 1, 1939, the Polish Jew, no matter where, undertook his uncompromising struggle, the struggle against a barbarian invader in the name of the greatest and the holiest ideal—JUSTICE. Everyone fought—on the front line and underground, in military uniform and in civilian garb, man and woman, intellectual and worker—all united, without any differences, carrying on the gigantic battle, the battle for freedom and a better and more just Tomorrow . . .

Once again we deliver a blow to the lie. We invoke and we shall invoke this splendid page of our history, as if evidence of the nobility

---

[7] Stefan Żeromski (1864–1925), Polish novelist and patriot dedicated to social justice.

of the spirit. Should anyone allege the old lie, with which we are so familiar, the anti-Semitic accusation that Jews are a stunted people, that they are cowards, incapable of defending their dignity with arms in their hand—we shall repulse such claims with the splendid and heroic act of the Warsaw ghetto. We shall proudly point to the hundreds of names of officers and enlisted men—Polish-Jewish soldiers who fought side by side with others, beginning with the September Campaign, on the battlefields of France, Norway, Africa, Italy, and Germany. We shall point to the graves of the known and unknown Jewish soldiers. We shall recall thousands of them, in rags and barefoot, as soldiers of the Jewish Fighting Organization[8] in Poland, as they marked the streets and walls of houses of the Nalewki quarters of Warsaw with blood, so they might die with honor on the battlefield. We shall retell with flushed cheeks about Klepfisz,[9] Ms. Lubetkin,[10] and others, about little streets, squares, apartment buildings, and balconies of the ghetto from which bottles of gasoline were hurled onto German tanks, about rooftops from which Jewish bullets pelted onto hordes of bestial Nazis. We shall recall with pride those who endured captivity and then again joined the ranks of the fighters, those who were not deterred by borders and who voluntarily reported to shed their blood on the altar of THE GREAT CAUSE. The cemeteries at Monte Cassino, in Loreto, or in Belgium shall proclaim for eternity the names of those of whom we are and shall continue to be proud.

The Polish Jew fulfilled his duty. Duty that has become a historic command—to live in combat, to become tempered in the heat of battle, in the sea of suffering, blood, and tears.

---

[8] Jewish Fighting Organization [Żydowska Organizacja Bojowa-ŻOB], established in the Warsaw Ghetto end of July 1942, composed of subgroups from various Jewish political organizations.

[9] See later chapter "Hero of the Ghetto–Cavalier of 'Virtuti Militari'."

[10] Cywia/Celina Lubetkin (1914–1978), the only woman among the command group of the Jewish Fighting Organization, was one of the 34 survivors who escaped through the sewers. She continued resistance activities and took part in the city-wide Warsaw Rising in 1944. She later married Yitzhak (Icchak) "Antek" Cukierman. (1914–1981), one of the founders of the Jewish Fighting Organization. They both went to Israel in 1946 and established the Ghetto Fighters Museum there.

I do not write these words to boast or extol the deeds of the Polish-Jewish soldiers. We do not want and do not require thanks. It is not a matter of praise or laurels or decorations. We are simply PROUD that our contribution, the contribution of the blood and tears of Polish Jewry, became the greatest and most potent offering of all the peoples of the world fighting the bestial assault of Nazi barbarism.

May this collection illustrate and recall for everyone the heroic DEEDS of Polish Jews, which serve as a manifesto of the rights, consecrated by the labor and blood of their brothers. They fought and died in the name of JUSTICE AND FREEDOM, unfailingly believing all the time in the Great Polish Democracy—"the Poland of Mickiewicz"—the Poland of ideals.[11]

Porto San Giorgio, October 1945.

---

[11] Adam Mickiewicz (1798-1855), regarded as Poland's greatest poet, is best known for his epic poem *Pan Tadeusz, czyli ostatni zajazd na Litwie. Historia szlachecka z roku 1811 i 1812* [Sir Thaddaeus or The Last Foray in Lithuania: A History of the Nobility in the Years 1811 and 1812].

A. CIOŁKOSZ[12]

September Recollections

I have been asked to write an article on the subject of Poles and Jews engaging in a common struggle during the current war. I shall not write such an article. One can write about the common battles of Poles and British, Poles and Yugoslavs, Poles and Australians. But one cannot write about the common struggle of Poles and Jews; these are not two separate countries; two nations living on their own that had joined forces to wage a war. Christian Poles and Jewish Poles are people of **the same country**, and thus their struggle is not a common struggle of two different forces but rather **one and the same struggle**.

They fought on this soil and in the defense of **the same land**; they fought and they are fighting in the same uniforms, with the same white eagle on their military caps.

It would perhaps be an affront to the Polish-Jewish soldier to provide an account of his "common" fight along with the Poles—it was and is something much larger; it was and is **one and the same fight**. At the same time, it would be wrong for Poland to see something different in a Polish soldier—Pole and something different in a Polish soldier—Jew. These are not allies; these are **precisely the same** soldiers of the Polish Republic, although they may differ

---

[12] Adam Ciołkosz (1901–1978) was a leader of the Polish Socialist Party [PPS; see also note 17] and a member of the Polish Parliament 1928–1932. After the German occupation of Kraków, he escaped to Romania and then to London. He objected to the Yalta Agreement and opposed communism in Poland but declined to become prime minister of the Polish government-in-exile. Refusing to return to Poland under Soviet control, he became a commentator for the Polish-language program of Radio Free Europe.

in—but are not separated by—their mother tongue or religious denomination.

All the truths, formerly hidden behind both the conventional lie and the official lie, became revealed in Poland in September 1939; all at once, everything displayed its true value.

Dignitaries cloaked in ermine disintegrated into nothingness and fell into dishonor. It was rather the simple people who shone with their sacrifice and endurance, without seeking fame, medals, or prizes. Poland was invaded from the west and then from the east by armored divisions. Simple people experienced this September tragedy to the depth of their souls and at the bottom of their hearts found one word more potent than the tanks—Poland.

Each of us saw more than enough that September, oh, we saw it all. And each of us shall remember that September, every minute of it; oh, we shall remember it to the end of our lives.

* * *

In my September remembrances, when I reminisce about Polish-Jews during that somberly sunny September, certain personages stand out.

. . . It was the eighth of September, in a little town lying at the junction of the Rivers Vistula and San. From the south, the Germans. From the west, the Germans. From the north, the Germans. Blazing sun. Crowds of refugees streaming through the roads, headed across the River San. Corporal Aron S., employed as a tailor, a tough, determined, committed socialist, a member of the Bund,[13] was washing off his ailing legs by the roadside. One of those who had shaped the Jewish workers' movement—with a strong sense of citizens' rights of labor and citizens' rights of Jews. No trace of any "inferiority complex." He considered himself entitled to voice his views on all Polish issues and to share in decision-making on an equal basis with Polish workers. While strongly attached to the Yiddish language and to the achievements of Jewish culture—at the same time, he dearly loved his Polish fatherland.

---

[13] The Bund [*Der Algemeyner Yidisher Arbeter Bund*], The General Union of Jewish Workers, was a Jewish socialist workers' party in Lithuania, Poland, and Russia, established 1897. Members were called Bundists.

There ensued a brief, sporadic conversation (as was true of all the conversations in those days). Corporal S. was retreating with his detachment from an area of factories in the Central Industrial District.[14] They had been defending an important plant site from the German Air Force. They had only ordinary infantry rifles. They were powerless, defenseless, and helpless. Corporal S. was telling me about it and cried.

He did not cry over himself. He cried over the fate that had befallen the Polish land, over that horrendous mountain of German steel that had tumbled onto the virtually defenseless soldiers—who had the will to fight in their brave hearts, but in their hands, only infantry rifles, almost the same as nothing . . .

I witnessed many human tears that September. It is impossible to forget them, neither shall I forget the desperate sobbing of that Jew, a Polish soldier.

Ten days later, in a small village in the region of Wołyń,[15] I saw above me a squadron of airplanes with red stars on their wings. They were flying in the air from the east. It was the most horrible day of all those September days. It seemed as if a tomb had snapped shut over us from two sides. The first shelter, bed, and food we found were at the home of a village tailor, a Jew. He was extending his hospitality to the new arrivals, total strangers, whose minds were struggling with the reality of a new, double occupation—a night descending over Poland.

Late at night, before going to bed, the tailor became talkative. He began to talk about Poland. He was originally from Odessa, which is where he first encountered the Poles. "I did not comprehend then why they always proclaimed, 'Poland has not yet perished,'[16] but later, I understood it," this village tailor told me, clumsy with his words, a Jew from Wołyń.

The Soviet troops had not yet entered the village. Uncertainty hung in the air. In the fall twilight, this Jew was relating to me how he grasped the Polish resolve for an independent existence.

---

[14] Central Industrial District [*Centralny Okręg Przemysłowy*] is an industrial area developed in the 1936-1939 era at the fork of the San and Vistula Rivers.

[15] Wołyń, an administrative district in prewar Eastern Poland, is now Volhynia in western Ukraine.

[16] These are the beginning words of the Polish national anthem.

From the enemy airplanes, leaflets were scattering, pronouncing the end of Poland. The Jewish tailor recalled the years of his youth in Odessa and the Poles who persisted in their belief that "Poland has not yet perished." He had remembered it his entire life. He had understood it. He knew that it was just as in this song and not as in the leaflets.

Time passed by; winter came. Late one evening, I was walking down a dark side street of Lwów. A short, tiny Jewish girl burst out from some doorway. She stopped me and looked me in the eyes, "Comrade Ciołkosz?"

I did not know her, but she recognized me. She was a Bundist. She whispered news about those who had been arrested. Then, she asked me whether I had a place to stay and if I needed shelter—here was the address. I would be able to find there a roof over my head, assistance, and safety. She told me the essentials and then disappeared into the entryway without waiting for any thanks.

* * *

Where are you today, Corporal S.? Where are you today, my dear tailor from the small Wołyń village? Where are you, the little Jewish girl from Lwów?

Their life was not paved with roses in Poland, but neither was it totally hopeless. They believed in themselves, but they also knew that they could believe in this Poland, not the Poland of dignitaries, but the Poland of simple people, the true Poland.

I shall relate here one more recollection. An early September morning, in the hut of a Ukrainian peasant, in the territories being invaded by the Russian army. A young Jewish girl confessed to me all her grudges and all that pained her. And then, immediately afterwards I heard these words from her, "There are some decent people in Poland—the PPS.[17] They are fighting in Warsaw."

---

[17] PPS–*Polska Partia Socjalistyczna* [Polish Socialist Party] was established in 1892. Under the German occupation its main body changed the name to *Wolność, Równość, Niepodległość*, or WRN [Freedom, Equality, Independence] and was known as PPS-WRN. They participated in the Warsaw Rising in 1944. A fraction called Polscy Socjaliści [Polish Socialists] supported the Warsaw Ghetto Uprising in 1943.

With the same passion with which she had been pouring out her bitterness for all the humiliations she had suffered, with the same fire, she tossed out the words of praise for the defenders of Warsaw.

Is she alive, this young Jewish girl from Wołyń? It could be that she perished from the hands of the same invader by whose hands the defenders of Warsaw were being killed. The blood of Poles, both Christians and Jews, soaked the same soil of the Polish Republic.

It is the very same soil. The same Fatherland. And thus, I cannot, I am unable to write of the "common" struggle of Poles and Polish Jews; it is something greater than that; much greater. IT IS THE VERY SAME STRUGGLE.

Therefore, it will be one and the same victory—of one, complete, undivided Poland. Therefore, it will also be the victory of Corporal S., of this tailor from Wołyń, and of this girl from Lwów.

It shall become our common concern that this girl from Wołyń should never again have those bitter words in her mouth or grudges in her heart.

It is natural that the Polish-Jewish soldier is fighting. But this is not just his cause. We must all be fighting for this, Christian Poles as well as the Jews. There can be no human injustice in the liberated and renewed Poland.

It shall be the measure of greatness of the future Republic of Poland whether this Jewish girl in a small village will regard herself as a free, fully entitled, happy person, equal to all others.

I believe most profoundly and most firmly that it will be so.

(*Biuletyn*, year II, no. 1, Teheran, January 1944)

Heroism of Jewish Soldiers in the Polish Army

From the American Press
Daily Newspaper: *Der Tag,* New York, no. 10937[18]

London (ITA)[19]

General Anders[20], the commander of the Polish army expressed high praise for the heroism and valor of Jewish soldiers in the Polish army.

The General said that since the time when some Jews left the ranks in the Middle East, there were no other such incidents. JEWS FOUGHT HEROICALLY on the field of battle and also distinguished themselves in carrying out other duties in the army.

Referring to casualties among officers and soldiers, General Anders emphasized that 838 Jewish soldiers, including 132 officers, fought under his command. Twenty-seven soldiers and one officer were killed, while fifty-one soldiers and one officer were wounded.[21]

* * *

The European Jewish Observer
London, February 9, 1945

---

[18] *Der Tag* [The Day] was a popular Yiddish-language daily newspaper in New York.
[19] ITA was most probably JTA-Jewish Telegraphic Agency.
[20] General Władysław Anders (1892–1970), a Polish general before World War II, was first imprisoned by the Soviets but then released in 1941 to become the commander of the Polish Second Corps.
[21] In Italy, at least seventy Jewish soldiers of the Polish Army were killed. At Loreto and Monte Cassino alone, there are graves of twenty-nine Polish Jewish soldiers.

General Marian Kukiel,[22] the Polish minister of National Defense, published in *The Jewish Bulletin* (issued by the Department of Religious Affairs of the Ministry of Information in cooperation with the Office of the Chief Rabbi) an article praising heroic deeds of Jewish officers and soldiers and declaring that this brotherhood-in-arms augurs well for future relations between Poles and Jews.

"Since the memorable days of September 1939," declared General Kukiel, "the Polish soldier has been unceasingly in action. He has fought on almost all fronts. His deeds have been an inspiration for others.

"Polish citizens of many faiths and religious beliefs are to be found in the ranks of these units," continued the minister. "Jewish soldiers have been taking an active part in this. Many Jewish soldiers and officers were killed or wounded; many were decorated, several with the highest military decorations, for their heroic deeds.

"Poland has an old tradition of tolerance and freedom. Its armies draw no differences between soldiers on account of their views or religious beliefs. The spirit of brotherhood," concludes the minister, "of equality, of faith, and of mutual aid in the ranks of our soldiers fighting for freedom provides the greatest assurance of a better mutual understanding in the future."

* * *

The commander-in-chief, General T. Bór-Komorowski,[23] in an interview granted to the *Manchester Guardian* and reproduced in the *Polish Daily* and the *Soldier's Daily,* expressed his "greatest admiration for the fighters of the [Warsaw] Ghetto Uprising."

[22] General Marian Kukiel (1885-1973) escaped to France in 1939, then evacuated to Great Britain. In 1942, he became minister of defense in the Polish government in London. He did not return to Poland after the war.

[23] General Tadeusz Bór-Komorowski (1895–1966), born near Lwów, served in the Austro-Hungarian army during World War I and continued his military career in the Polish army. In 1941, he became deputy commander of the Polish Underground Movement. In August 1944, he directed the Warsaw Rising to liberate Warsaw. When the uprising collapsed (October 2, 1944), he surrendered on the condition that the insurrectionists be treated as military prisoners-of-war. After the war ended, he went to London and served as prime minister of the Polish government in London (1947–1949). He did not return to Poland.

Speaking about the assistance rendered to the Jews by the Home Army, General Bór-Komorowski declared, "We did everything that could be done, everything that was possible and doable under those circumstances." Approximately one thousand Jews who managed to escape annihilation fought in the ranks of the Polish Home Army during the Warsaw Rising.[24] During the final stages of the fighting in the ghetto, the Home Army attacked the German positions in northern Warsaw in order to create a break in the surrounding German ring and permit the escape of at least some of the Jews. Unfortunately, that attack was repulsed by reinforcements consisting of the SS Latvian and Ukrainian units,[25] which inflicted great losses on the Poles.

* * *

General Antoni Chruściel (underground code name: Monter),[26] the commander of the AK in the Warsaw district, granted an interview to the Jewish Telegraphic Agency. Among other comments, General Chruściel said, "We regarded the Warsaw Ghetto Uprising as a regular military operation. It concurred with our plans, and it was not only a heroic surge by the oppressed, but it also was of great importance for our entire campaign. From the military point of view, the uprising was well prepared. Preparations began as soon as the Jews decided to defend themselves against the massacres." General Chruściel continued talking about the ongoing communications between the ghetto and the headquarters of the AK:

---

[24] The Warsaw Rising, not to be confused with the Warsaw Ghetto Uprising, was an uprising by the general population of Warsaw against the Germans, beginning August 1, 1944, just as the Red Army was approaching the city. The Russians delayed their arrival, and the insurrectionists were forced to surrender to the Germans. Over 100,000 civilians were killed and the city was almost totally destroyed.

[25] Approximately 350,000 volunteers from German-occupied countries opted to fight for the Third Reich as members of the Waffen-SS (*Waffen-Schutzstaffel* [Military Special Police Force]).

[26] General Antoni Chruściel (1895–1960) was a career officer who trained in the Austro-Hungarian army and had also studied law. After the Warsaw Rising collapsed, he was interned by the Germans. After the war, he first went to London and later to the United States.

The plans of the Jewish Fighting Organization were later somewhat changed with our assistance in order to coordinate them with our plans. People in the ghetto had enough food, thanks to smuggling from outside;[27] however, they had little ammunition. We could not provide them with much because our own supplies of ammunition were very meager. However, when the actual fighting began, we were able to regularly provide them with weapons. Inside the ghetto the Jews had ten small factories where they were able to produce armor-piercing grenades and other weapons. The production of explosives, according to the instructions that we provided to the people in the ghetto, achieved great success.

* * *

The *European Jewish Observer* quotes from an interview with Prime Minister of the Republic of Poland T. Arciszewski:[28]

"If Jews wish to enjoy a true equality in the future Poland, as we wish them to enjoy, they must be assured of access to all positions in political and economic life. They must be assured of the full opportunity for employment in government, municipal administrations, factories, mines, and agriculture. In the future Poland there can be no barriers separating Jews and Poles, and the government over which I preside will not engage in any discrimination.

"The Jewish masses must have job opportunities wherever they wish to work," continued the prime minister. "In the Poland of the future there can be no barriers, ghettos, or divisions. This applies to schools and universities as well. Those who are able to and wish to study must receive full opportunities regardless of whether they are Jews or Poles. The only thing that must be checked is their capability and not to what race they belong! This applies also to the army where there ought to be Jewish generals as well as Jewish privates."

---

[27] General Chruściel may not have known the extent of the poverty and hunger in the ghetto.

[28] See note 6

The Jewish Soldier Fought at Monte Cassino[30]

Private Aleksander Grünberg[31] awaited this moment for many long months. When reports from home were bringing news about mass murders committed on Jewish brothers, about the terrible death trains, about the liquidation of ghettos in Polish cities, he would tighten his grip on his rifle and work even harder on his training. He graduated sixth in his class from the Cadet Officers' School in Ismailia.[32]

Finally, the awaited moment arrived—the Battle of Monte Cassino. Corporal Cadet Grünberg,[33] with three men under his command, was one of the first participants in the attack. May 12 was the first day of the offensive. They stormed and captured a German pillbox.[34] Then they fortified themselves and directed fire at the enemy. Cadet Grünberg

---

[29] This article by Ludwik Brzeski is included in the anthology, *Żydzi polscy w służbie Rzeczypospolitej: 1939–45* [*Polish Jews in the Service of the Republic of Poland*] compiled by Andrzej Krzysztof Kunert and Andrzej Przewoźnik (Warsaw: Rada Ochrony Pamięci Walk i Męczeństwa, 2002).

[30] See "Translator's Note" regarding Monte Cassino.

[31] Aleksander Grinberg/Grűnberg (1914–44), corporal, is buried at Monte Cassino.

All additional information about fallen soldiers given in the notes of this chapter comes from Benjamin Meirtchak, *Jewish Military Casualties in the Polish Armies in World War II*, Vol. 2, and Rabbi Pinkas Rosengarten, *Zapiski rabina Wojska Polskiego*, 236–38 (see Bibliography).

[32] Ismailia is located on the west bank of the Suez Canal between Port Said and Suez.

[33] In the Polish army, those who graduate from officers' school usually become cadet officers [*podchorąży*] and then must advance through non-commissioned officer grades before becoming officers.

[34] A German pillbox was a dug-in guard post made from concrete, often camouflaged.

leapt out to lead his men on. He spotted the Germans and started shooting. A few fell, but the cadet himself fell also. He never rose up again; yet, his dream of vengeance came to pass.

That same day, Polish-Jewish soldiers fought in many other sectors. With fury and determination, Corporal Cadet Jakub Liberman,[35] although twice wounded, would not allow the medics to carry him down [the mountain]. He continued fighting until he was wounded for the third time—this time, fatally.

Corporal Cadet K. was third-in-line in the command of his platoon. When the lieutenant in charge fell from mortar fire, the first deputy took over. When two hours later, this one fell too, Cadet K. led the platoon in the assault. He fought heroically for ten hours. At noon, an enemy bullet pierced right through his leg. Cadet K. passed on the command to the sergeant. While still in the hospital, when he was questioned about pain from his wound, he responded to the question with his own question, "And how is it going on 'Widmo'?"[36] "Did my platoon hold its position?". . .

Senior Sapper L. from the Sapper assault company[37] never parted with his prayer book or the photograph of his wife. They spurred him on to fight. He took several prisoners of war. They didn't want to show him where the mines were in the field. He ordered them to walk ahead of him. They showed him. . . .

Many, many examples of heroic deeds of Polish-Jewish soldiers can be cited. When a barrage of artillery fire fell on his unit, Private Kopel R. from the Carpathian Division[38] sought cover in a shelter abandoned by the Germans. He did not last there very long.

He grabbed a small machine gun, jumped out of the shelter, and began strafing the Germans mercilessly. Private Julian F. from the Kresowa Division was wounded four times, and for each of his wounds, a German paid with his life. Mechel B. was an old soldier. In

---

[35] Jakub Lieberman, son of Kalman, b. Kraków Sept 1, 1915, killed May 12, 1944, buried at Monte Cassino.

[36] Widmo, called "Phantom Ridge" by the British, was one of the key strategic positions at Monte Cassino.

[37] Sappers were combat engineers whose tasks included building bridges and roads and clearing mine fields.

[38] The Polish Second Corps had two infantry divisions: the Carpathian Division (Third Division) and the Kresowa [Eastern Borderlands] Division (Fifth Division).

Tobruk,[39] he was decorated for bravery; in Italy, he went out on quite a number of patrols. Here, though wounded, he was eager to get out of the hospital to return to the field of battle. Private B. was wounded once near the Sangro River, the second time on the slopes of Monte Cassino. But before he was wounded, he killed many Germans.

From the Carpathian Division, there was also Private First Class K., who went out on eleven patrols; Private First Class S. was wounded in the neck; Private Z., while on a patrol with his comrades, took thirteen prisoners.

In one of the hospitals lies Private Abram G. from the Kresowa Division, who, near Piedimonte, killed two Germans with a hand grenade. Then, in turn, he himself was hit. He recounts his "adventure" quite readily and with an amusing country accent, because Abram G. is a peasant farmer, as was his father and grandfather; he owned some land in the little village of Ociejsk in the district of Radom. He has had no time to get married, he says, but this is not his first time in the military service. He was in the Twenty-seventh Uhlan Regiment in Nieśwież,[40] and in September 1939, he fought in the First Garwolin Regiment of cavalry riflemen.[41] Abram is an old cavalryman and an old soldier. Near Piedimonte, when he was wounded, he was taken prisoner by the Germans. When they asked him, "*Jude?*" [Jew], he affirmed, "*Jude.*" The Germans threatened him; they would not dress his wound or give him water. They only said, "*Gut deutsche Granat.*"[42] So he answered, "Good German grenade, so then good German bandage." They laughed, and then they sent him to the rear, to their company. As Abram tells this story, "They said, 'Go to the company.' I count three people in the first shelter, three in the second, and three in the third—that's all! Is this a company?! That's a band of ragamuffins, not an army!" The Germans left him lying there for twenty-four hours. A Silesian[43] secretly passed him some food. When Polish troops approached, the Silesian hid his helmet and his rifle under Abram's blanket. He stayed behind—he wanted to stay. He called

---

[39] Tobruk is a seaport in northeastern Libya, near the border with Egypt, where an important battle took place in which the Polish Carpathian Brigade participated, but, along with other Allies, they were forced to withdraw.
[40] Nieśwież, formerly in Poland, is currently in Belarus.
[41] Regiment named after the town of Garwolin, 40 miles southeast of Warsaw.
[42] "Gut deutsche Granat" [a good German grenade]
[43] A German soldier from Polish Silesia.

out to the Poles, "I stayed back with your wounded soldier." It was thus that Abram returned to his own. And now he wonders why the general himself came to visit him. "I didn't do anything great," Abram says. "I fought the Germans because we've got to fight those dirty Huns."

In one company of the Polish commandos in Italy, seven out of the seventy-two men were Jews. They were all young lads, just out of high school. They volunteered in England to go to the front line. They were daring, almost audacious. Sergeant Cadet J. has several battle decorations, among them the *Virtuti Militari*.[44] Two others were recently decorated by the commander-in-chief with the Cross of Valor.[45] The major, the commander of the company, loves them and expresses his highest regard for them.

Jewish physicians occupy a separate page in the history of the Battle of Monte Cassino. Many of them worked in front-line surgical outposts. It was at such a post that Lieutenant Dr. Graber[46] perished and Second Lieutenant Dr. M. was wounded.

And then, when German artillery was shelling a first-aid station, although a Red Cross sign above it was visible, Dr. M. tended to others, though wounded himself. Captain K., head of the front-line surgical unit, Second Lieutenant S., and other physicians in front-line surgical units and in the hospitals, gave their all to save the lives of soldiers. Many of the wounded will recall them with gratitude.

Forty-year-old Sergeant Eliasz Szapiro[47] was an instructor in the school for marksmen. Twenty-year-old Private Pastor,[48] brother of the excellent Polish female swimmer, was his pupil. They both fell on the slopes of Monte Cassino. In the battle for the monastery mountain, others also perished—Private First Class Cadet Szloma Lipszyc,[49] Private Chuna Sztybel,[50] forty-five-year-old Private Hersz Zygman,[51]

---

[44] The Cross of *Virtuti Militari* [Military Virtue] is the highest Polish military decoration for bravery.

[45] *Krzyż Walecznych* [Cross of Valor].

[46] Adam Graber, physician, Lt, b. Warsaw February 8, 1896, killed May 8, 1944, buried at Monte Cassino.

[47] Eljasz Szapiro, Sgt, son of Wolf, b. Nowogródek March 23, 1914, killed May 18, 1944, buried at Monte Cassino.

[48] Leon Pastor, son of Jakub, b. Bielsko śląskie September 7, 1924, killed May 13, 1944, buried at Monte Cassino.

[49] Szloma (Stanisław) Lipszyc (Lipschütz), PFC, son of Samuel, b. Kraków November 6, 1922, killed May 12, 1944, buried at Monte Cassino.

Private Marek Szapiro,[52] and twenty more Polish-Jewish soldiers. They all lie now at rest in the cemeteries in Venafro, San Vittorio, and in the section of the Kresowa Division. Soon their bodies will be placed in the common cemetery of the fallen Polish soldiers near the monastery[53]. The military rabbi conducted a memorial service for their souls, and the cantor intoned "*El Mole Rachamim*" —"Oh, Lord Full of Mercy." The cantor pleaded in a chanted prayer, "Accept these fallen heroes into heaven." Surely, our gracious God will find them a place of honor there.

Many, many examples of courage, heroism, and patriotism of Polish-Jewish soldiers could be cited here. The commander of the Corps and the commanders of all the units speak of them with respect. The Polish-Jewish soldier fought on the slopes of Monte Cassino. He fought for the freedom, indivisibility, and independence of Poland.

---

[50] Chuna Sztybel, Cpl, son of Icek, b. Zamość March 1913, killed May 12, 1944, buried at Monte Cassino.

[51] Hersz Zygman, son of Taub, b. February 15, 1901, Siedlce, killed May 17, 1944, buried at Monte Cassino.

[52] Marek Szapiro, b. Vienna, Austria, January 7, 1915, killed May 17, 1944, buried at Monte Cassino.

[53] Bodies were placed in temporary burial grounds until Polish cemeteries were built.

Polish Cemetery at Monte Cassino:
Graves of Polish-Jewish soldiers who gave their lives in Italy

Segment of the Military Cemetery at Monte Cassino.
In front, final resting place of Jewish soldiers.

Grave of Sapper–Engineer Aleksander Grünberg
who gave his life at Monte Cassino.

A Jewish Officer—a Hero

LEON CZERTOK of Blessed Memory

(A Recollection)

On December 31, 1944, Second Lieutenant of the Polish army Leon Czertok fell on the field of glory in Holland.

If one had to search within the million-strong ranks of Jewish soldiers dispersed among the various units of the Allied armies for the one person who symbolizes the ideal conduct of a Jewish soldier fighting anonymously, then surely it would be difficult to find a more worthy representative than Leon Czertok—during his life and in the hour of his death. The figure of the twenty-five-year-old Leon symbolizes the honorable attitude of Jewish youth, who, under the colors of various nations, are fighting today for just one thing—the honor of the white-and-blue flag.[54]

Coming from a home in which the national and Zionist traditions were deeply ingrained in the children by the deserving chairman of the Zionist organization in Lida,[55] young Czertok entered life conscious of his civic and Jewish duties. He spent the school years in the youth organization Hanoar Hatzioni,[56] where he became recognized as an organizer and leader.

The outbreak of the war found him enrolled in technical studies in London. Czertok did not hesitate; he knew what needed to be done in the time of war and where his place should be. He voluntarily enlisted in the Polish army, where he soon became the favorite of his superiors and his comrades-in-arms. His youthful temperament flourished on the

---

[54] White and blue were the colors of the Zionist flag (and now of the Israeli flag); red and white are the colors of the Polish flag.

[55] Lida, formerly in Poland, is now in Belarus.

[56] Hanoar Hatzioni [The Zionist Youth] was a movement begun in 1930.

training field, and his profound awareness of the Jewish tragedy dictated that he react vigorously to any injustice or offense directed at Jewish soldiers. Czertok commanded outright respect for himself through his irreproachable military conduct, coupled with national pride and courage to give criticisms and express his opinions. Although there is no room in the army for doing battle over ideologies or world outlook, Czertok, nonetheless, did not hesitate to intervene when an occasion arose to explain, educate, and convince opponents as well as friends. Only a man who believes in his mission could behave in this manner, only one who holds dear the cause of his nation and who has decided to dedicate his life to the struggle for the CAUSE.

The battles of the First Armored Division[57] on the Continent are a splendid page from the life of Leon Czertok. Almost from the first day he could be recognized as a brave patrol scout, a courageous commander, always shining with his bright example.

During the fighting in Normandy, an expression was adopted in the battalion that "with Czertok we sweep the front-line." Always in action, always at his post in battle. He earned citations posted in the orders-of-the-day of his unit for courage and for exemplary leadership in confronting the enemy.

Asked once what he felt when he received an assignment that on the face of it appeared undoable, he answered with a smile, "I had to go, because I could not refuse. If I had hesitated, they would have said that the Jew was a coward." Such was the logic of Leon Czertok's battle. Jewish honor was more valuable than personal safety, more valuable than the price of one's own blood.

Wounded for the first time in Holland, he soon left the hospital, even though the wound had not yet healed. He returned to the front line where he was promoted to the rank of second lieutenant in December 1944. The night of 30–31, when he had not yet rested from the previous action that had earned him a commendation from the commander, he again took part in the assault on a German bunker on the Meuse River.[58] He led his platoon, he was there where there was action, smiling, self-

---

[57] The First Armored Division, under the command of General Stanisław Maczek, trained in Scotland and numbered some 16,000 soldiers. In August 1944, it joined the Allied forces fighting in Normandy.

[58] The Meuse is a river that flows from Belgium to the Netherlands; in Dutch: Maas, in Polish: Moza.

assured; he encouraged and assisted—always in the lead. Could he hesitate? What would others say about a Jewish soldier? Hit by two bursts of shots from a heavy German machine gun,[59] he fell on the field of battle at a distance of barely fifty meters from the enemy bunker.

(*Nasza Trybuna* [Our Tribune], New York, year VI, no. 2, 1945)

---

[59] The heavy machine gun [*ciężki karabin maszynowy*] was known as "ckm" for short.

I. LUBER[60]

The Last Sacrifice of Blood

"This shall be the last battle. . . ."

The Jewish resistance movement matured and expanded. By then, not just the fighters of the ŻOB,[61] but almost all the inhabitants of the ghetto resolved to give their lives at a high price.[62]

And thus one day after another was spent in preparation for armed resistance and in anticipation of action.

It was known that there was already no chance of surviving—and yet the first reports were arriving about Allied victories, Stalingrad, advances in Libya, and the bombing of the Reich.[63] For Europe there were prospects of liberation, but for them?

It is easy to understand what was going on in the souls of the inhabitants of the ghetto when they were readying themselves for the final, hopeless struggle.

Brigadeführer Stroop arrived to replace the current head of SS and police.[64] It was said about him that he brought new instructions from Berlin.

---

[60] I. Luber is the author of *Życie i Śmierć Ghetta Warszawskiego* [*Life and Death in the Warsaw Ghetto*] (Rome, Biblioteka Orła Białego, 1945).

[61] See note 8

[62] This statement refers to the January of 1943 self-defense.

[63] In February 1942, the British Royal Air Force (RAF) began strategic area bombing of German cities to lower the morale of the population.

[64] Jürgen Stroop (1895-1952) was sent to Warsaw in April 1943 as SS and police commander to squelch the uprising and deport to death the Jews remaining in the ghetto. He was tried after the war, sentenced to death, and executed in Warsaw on March 6, 1952. [See also note 100].

On a Monday in April, the night before the Jewish holiday of Passover,[65] strong detachments of SS and German police surrounded the ghetto. (The order for action arrived suddenly. Still on Saturday, they had requisitioned Jewish painters for Monday to fix up the homes of Gestapo dignitaries at 33 Chocimska Street. The action took even the Gestapo by surprise.)

The final liquidation of the Warsaw ghetto had begun.

The Jews responded by shooting. For the first few days, not a single German could get through the areas occupied by the Jewish Fighting Organization. They started fighting in the shops[66] from which the Germans managed to deport only some of the workers to the Toebbens complex[67] in the Poniatowa Camp and to that of Schultz in Trawniki;[69] the rest continued to fight.

At the beginning of the action against the Jewish fighters, who were armed with a few dozen rifles and a few hundred revolvers and grenades, the following took part: two battalions of Waffen-SS, one Schupo[69] battalion, two companies of Ukrainians,[70] a unit of the Gestapo, ten light field cannons (positioned around the walls, firing one salvo after another), six tanks, and four armored cars! (all according to the report by the SS and chief of police for the district of Warsaw during the encirclement of Warsaw on April 30, 1943). Ambulances continuously carried away the wounded Germans, whose numbers were mounting. Flamethrowers were put into action, and Stuka[71] aircraft began dropping incendiary bombs. Houses caught fire, entire blocks, and in them, people were being burned alive.

---

[65] The Germans entered the Warsaw ghetto on Saturday, April 19, 1943, the first evening of the Jewish Passover holiday.

[66] "Shops" (workshops) were operated by German entrepreneurs in the Ghetto, with use of the extremely cheap labor.

[67] Walter K. Toebbens ran textile and fur factories in the Warsaw ghetto, using inhabitants of the ghetto as cheap slave labor.

[68] Poniatowa was a forced-labor camp 24 miles west of Lublin. Trawniki was a forced-labor camp 25 miles east of Lublin; Soviet prisoners-of-war were also held there.

[69] Waffen-SS—see note 25; *Schupo [Schutzpolizei]*—German police

[70] After the Germans occupied Western Ukraine, many young Ukrainians joined German-supervised auxiliary police. These units were used to help the SS control the ghetto.

[71] Stuka [Sturzkampfflugzeug] – dive bomber.

But nobody was leaving; the ghetto was fighting on. White and blue flags were hung out on Muranowski Square, and to stress that the fight in the ghetto was a Jewish contribution to the general Polish resistance movement and the uncompromising struggle against the Germans, a white and red flag was flying.[72]

The Germans halted pedestrian and vehicular traffic on the streets adjoining the ghetto. The ranks of ŻOB were shrinking, but the German casualties were also serious. The fighters burned three German tanks and destroyed several armored cars with grenades. One tank drove into a mine placed at the entry gate to the area of the "brushmakers"[73] and was blown up into the air. Over one hundred SS men and military police were taken prisoners. A few days later, they were shot in retaliation for the bestial murder of the several dozen Jewish insurgents on Niska Street. During the fighting, attempts were made to recapture Pawiak Prison,[74] but the attacking groups were decimated by murderous fire from heavy machine guns and rapid-fire artillery guns mounted in the guard towers.

Jewish women fought unceasingly. Pola Elster, the commander of one of the combat groups, fell during the first few days.[75]

During the first few days of the action, a fair amount of weapons and ammunition flowed into the ghetto through a canal dug out under Muranowski Square that connected 4 Muranowski Square on the "Aryan Side"[76] with number 7 on the Jewish side. After ten days, the underground passageway was discovered. The German military police shot all the Polish men who were found inside the building. Thirty-six persons were killed then, including Janek, a member of the Polish Underground Movement, who, at the direction of the organization, had taken the position of caretaker of this building and directed the delivery of weapons to those fighting in the ghetto. As punishment, they also evacuated the entire Polish population from

---

[72] See note 54.

[73] Brushes were made in several of the largest workshops in the ghetto.

[74] Pawiak was an infamous prison in Warsaw where the Gestapo incarcerated and tortured political prisoners and Jews.

[75] Pola Elster and her sister, Wanda (Bela), young girls with „good looks", were couriers and fought in the 1943 Warsaw Ghetto Uprising and in the 1944 Warsaw Rising. Pola perished, but Wanda survived and later emigrated to Israel.

[76] The „Aryan Side" was the area outside the ghetto, where Jews were not permitted to live.

Przebieg Street, Muranowski Square, and the adjoining section of Bonifraterska Street. Germans threw ever more new tanks into the battle. The Stukas circled without interruption, dropping bombs even on the smoldering ruins. The fighters not only did not surrender; at night they would go over the walls and liquidate Ukrainian and German posts surrounding the ghetto. After the third such expedition, they increased the number of soldiers at the corner of Konwiktorska and Bonifraterska Streets from two to twelve! . . .

Communications between the different points of resistance were impossible. Movement from one to another came to a halt because of the continuous fire from heavy machine guns and guns mounted on tanks. There was no longer contact with the headquarters. Although without orders, all the units defended themselves to the end, to the very last round of ammunition.

An "amnesty" was announced in the area of the shops for those who would come out from hiding places and bunkers. They would not be punished but sent to labor camps. Nobody came out. New battalions of Waffen-SS were brought to the ghetto from Żoliborz.[77] An emissary of the SS Hauptampt (SS headquarters in Berlin) arrived and, together with Stroop, directed the action. The ghetto was literally deluged by bullets.

In the houses adjoining the district, there were already neither window panes nor frames around them left. On the adjacent streets, streetcar and telephone cables were drooping down from the poles. Heavy clouds of smoke hung over everything. The entire quarter was on fire, but they were not surrendering. Mothers were throwing themselves into the flames with their children. Fighters, after firing the last round of ammunition, cut their veins—just to avoid giving themselves up alive into German hands.

The Jewish fighters persisted for three weeks in this ridiculously uneven battle. Almost all of them perished (the leaders fell—Klepfisz, posthumously awarded the *Virtuti Militari*), Anielewicz,[78] Kapłan,[79]

---

[77] Żoliborz is a northern district of Warsaw.

[78] Mordechaj Anielewicz (pseudonyms "Malachi" and "Aniołek" [Little Angel]), b. 1919, commander of the Jewish Fighting Organization, ŻOB. Surrounded by Germans on May 8, 1943, he persished in the bunker at 18 Miła Street.

[79] [Józef] Kapłan, b. Kalisz 1913, member of ŻOB command, was arrested September 3, 1942, and murdered in Pawiak Prison.

Jeleń,[80] Erlich,[81] Pola Elster). Only a few managed to escape through underground sewers when the battle was coming to an end (Cukierman,[82] Cywia,[83] Wanda Elster,[84] and Turków[85]).

Germans dropped gas bombs into the sewers and poured sand into the manholes; thousands of people perished in the sewers. On the last day of the liquidation action, they brought onto Umschlagplatz[86] those who had been detained in the Befehlstelle:[87] Lichtenbaum,[88] Sztolcman,[89] Wielikowski,[90] and Szereszewski.[91] On orders of Stroop, they were shot, and their bodies were tossed into a garbage pile located in the rear of the square. The same fate befell the leadership of the Order Police.[92]

After three weeks, the ghetto became a pile of rubble in which hundreds of brave Jewish fighters had met their death.

But . . . on the German side there were 687 dead and 964 wounded (according to the monthly report of the German hospital of the Elizabethan Sisters in Mokotów).

---

[80] "Jeleń" was the pseudonym of Hirsz Berliński (1908–1944).

[81] Elijahu Ehrlich escaped through the sewers from the ghetto and joined Polish partisans but was killed in the 1944 Warsaw Rising (see *A Surplus of Memory* by I. Cukierman, 464).

[82] See note 10.

[83] See note 10.

[84] See note 75.

[85] Jonas Turkow (1898–1988), director of the theater in the ghetto, contributed to the Ringelblum Archive.

[86] *Umschlagplatz* was the collection point in the Warsaw ghetto where approximately 270,000 Jews were gathered to be shipped to the Treblinka death camp. Most were deported between July 22 and September 21, 1942.

[87] *Befehlstelle* was the SS command headquarters in the Warsaw ghetto at 103 Żelazna Street where the Gestapo retained, tortured, and killed Jews.

[88] Marek Lichtenbaum, an engineer, was chairman of the Warsaw Ghetto Judenrat [Jewish Council] after the suicide of Adam Czerniaków on July 23, 1942.

[89] Alfred Sztolcman, a banker, was deputy leader of the Judenrat under Lichtenbaum. They were both murdered by the Germans in April 1943.

[90] Attorney Dr. Gustaw Wielikowski was a member of the Judenrat and quartermaster of CENTOS [Union of Societies for the Care of Orphans and Abandoned Children], which operated in the ghetto.

[91] Stanisław Szereszewski, engineer and factory director, member of a prominent philanthropic Jewish family in Warsaw, was a member of the Judenrat.

[92] Order Police [*Ordnungsdienst*]—the Jewish police in the ghetto.

On the orders of Stroop, the Jewish synagogue on Tłomackie Street was blown up,[93] and the cemetery on Okopowa Street was leveled.[94]

The last trace of the existence of Jews in Warsaw was eliminated.

A month later, Stroop was decorated with the Knight's Cross, and the greatest Gestapo murderers, with the Iron Cross (EK)—for their "exemplary" liquidation of the Warsaw ghetto.

The few who were not killed in the ghetto, who survived this April pogrom and managed to escape, took up the battle once again.

When on August 1, 1944, the Warsaw Rising broke out, all the surviving Jewish fighters reported to the barricades.

The prisoners, who were liberated from the concentration camp on Gęsia Street by the insurrectionists,[95] fought bravely in the old city. In numerous sectors of the battle, Jewish insurrectionists shone brightly with heroism, and many of them perished.

It was their last sacrifice of blood.

---

[93] The Great Synagogue of Warsaw, built by followers of Progressive Judaism, was located at 7 Tłomackie Street. Opened in 1878, it could accommodate 2,300 people. The synagogue was blown up by Jürgen Stroop on May 16, 1943. In its place is now located the Blue Tower on Plac Bankowy, next to the Jewish Historical Institute (ŻIH), in the building of the Main Judaic Library.

[94] The Warsaw Jewish cemetery, established in 1806, is located at 49/51 Okopowa Street. Athough its buildings were all blown up on 15 May 1943, most of the graves survived. With approximately 250,000 graves, it is the largest Jewish cemetery in Europe.

[95] Gęsia Street (now Anielewicz Street) was the site of a prison within the ghetto; in 1943, the prison and the added barracks were turned into a concentration camp.

Hero of the Ghetto — Awarded of "Virtuti Militari"

> *"On February 18, 1944, the commander-in-chief bestowed post-humously the silver cross* Virtuti Militari *on Engineer Michał Klepfisz of Warsaw."*

His father and mother were both elementary school teachers in Warsaw. The mother, Maria, had been the principal of one of the state elementary schools in Warsaw and was, for many years, until the outbreak of the war, president of the Executive Board of the Association of Jewish Teachers. The parents dedicated themselves all their lives to quiet—but, during the long years of the Czarist regime, quite dangerous—service to the Socialist movement. Their young Michał grew up in this modest, yet also giving, atmosphere. He was an excellent student and just before the war completed Warsaw Polytechnic with distinction.

. . . Polish radio talked about him—this time the underground station "*Świt.*"[96] At the beginning of May 1943, they talked about how during the night of April 18 to 19, an armed struggle flared up in the area of the Warsaw ghetto, how the people, starved for years, clandestinely barely armed, attacked the hundred times better-armed enemy. Unwilling to go to the "labor" camps, which were actually places of mass murder for thousands, they made the enemy pay dearly while sacrificing their lives.

Today, we have come to know fully that this struggle for life and death, without any possibility of having wounds treated or becoming prisoners, was planned for many months by the Jewish workers

---

[96] *Świt* [Dawn] was the Polish radio station operated by the government-in-exile in Great Britain that broadcast programs, appeals, and news in the Polish language. It gave regular reports about the Warsaw Ghetto Uprising.

employed on the grounds of the ghetto in the German arms industry. Today, we know how much the German executioners feared resistance by their victims and resorted to the most despicable lies in order to fool the naive. They kept promising them, in special posters plastered on the walls of buildings and signed by Walter Toebbens, the German "Commissioner for the Resettlement of the Inhabitants of the Jewish quarter," that they would be better provided for than previously, and—what is most important—that they should not believe the agitating propaganda of the Jewish Fighting Organization.

And, in giving a further account of the extraordinary heroism of the ghetto fighters—who were alone in their struggle and had behind them only the moral support of the Polish Underground Movement from outside the ghetto and who understood perfectly what would be the physical end and outcome of that "second battle for Warsaw"—*Świt* mentioned only one name, that of Michał Klepfisz. The same was repeated in a telegraphic report from Warsaw transmitted by the delegate of the Government:[97] "Engineer Klepfisz, member of the 'Bund,' one of the pillars of the armed resistance, died a heroic death."[98] In the report that arrived in London from Warsaw a few weeks later were given further details of the meritorious service of Michał Klepfisz in making preparations for the Warsaw Ghetto Uprising. He was the one who organized—secretly, of course—the production of explosive materials in the Jewish quarter. And this report further stated, "Without Michał's assistance, the uprising would have been impossible."

Michał Klepfisz fell in battle in the first days of the uprising. But the fight lasted much longer. At least six thousand SS and Gestapo soldiers were fighting on the German side.[99] The Germans fought cowardly; for two weeks they had no courage at all to enter the ghetto

---

[97] "Delegate of the Government to the Country" was the representative of the Polish government-in-exile in London who served as the liaison to occupied Poland. He relayed information from Poland to London as well as the directives from London to the Polish Underground. From February 19, 1943, to March 27, 1945, this delegate was Jan Stanisław Jankowski, who was later arrested by the NKVD and died in the USSR.

[98] See note 13.

[99] In SS General Jürgen Stroop report *Es gibt keinen jüdischen Wohnbezirk in Warschau mehr*, 1943, the number of German troops is given as 30 officers and 2009 soldiers (including SS, Gestapo and Wehrmacht forces, but also Polish Police, Polish Fire Police and Ukrainian Guards).

area at night. Against people armed at most with machine guns and grenades, they deployed tanks, artillery, and even airplanes. They set entire streets ablaze before they had the courage to invade.

As late as mid-June, i.e., seven weeks after the beginning of the fighting, the fighters were still conducting guerilla warfare on the grounds of the ghetto. What undoubtedly attests to the moral defeat of the Germans is the fact that von Sammern,[100] chief of the Gestapo in the Warsaw District, accused by some of the Nazi leadership of being responsible for the death of approximately one thousand Germans who perished during the fighting in the ghetto,[101] was removed from his post in May 1943.

In those terrible days, on the streets of the Polish section of Warsaw, circulated the proclamation of the Central Directorate of the Polish Movement of the Working Masses,[102] in which, among other things, it was stated: "To the laborers and workers of Jewish nationality. . . we send brotherly greetings and assurances that their deeds will not pass without an echo. Their feat will become a legend of fighting Poland; it will become a joint achievement of the people of Poland, an achievement on which will be erected the edifice of the reborn Polish Republic."

. . . And through Ujazdowskie Avenue and burned-out Smocza Street will be paraded the flag that hung from the lonely barricade of the ghetto, together with the flags of the victorious armies. And at the Grand Review, when we stand at attention in front of the spirits of the soldiers of the great army of freedom who fought for Poland, we shall see among them the fighters of the Warsaw ghetto and the standard bearer of these fighters—Michał Klepfisz.

Polska Walcząca,[103] London

---

[100] SS-Oberführer Ferdinand von Sammern-Frankenegg (1897–1943) was the leader of the SS in the Warsaw region. After the first day of the Warsaw Ghetto Uprising, he was replaced by SS-Gruppenführer Jürgen Stroop.

[101] This German casualty number seems to be inflated, however, the number in the Stroop report (referenced above in note 99) – 600 wounded and 16 killed, among them one Polish policeman – seems to be too low.

[102] The Central Directorate of the Movement of the Polish Working Masses [Centralne Kierownictwo Ruchu Mas Pracujących Polski (PPS-WRN)] was the leadership of the party which after May 2, 1944 returned to the name Polska Partia Socjalistyczna (PPS) (see also note 17).

[103] *Polska Walcząca* [Poland Fighting] was a wartime emigré journal.

Midst the Smoke of Raging Fires

(From a report of the Jewish Underground in Poland)

Last Act of the Tragedy

On the night of April 18 began the last act of the tragedy of the Warsaw ghetto. (It was to be a birthday gift for the Führer.) The ŻOB came out to fight. At two o'clock in the morning, the Germans stationed closely spaced German-Ukrainian-Latvian patrols (every twenty-five meters) around the walls of the ghetto. Singly, in twos and in threes, German soldiers entered the area of the ghetto that was uninhabited. They wanted to take the fighters and the population by surprise. At 2:30 AM, the first reports arrived from the scouts about the concentration of larger military formations in the ghetto area. At 4:00 AM, all the fighting units were stationed at their posts. They were ready to properly receive the entering enemy. At 6:00 AM, two thousand SS men, armed with tanks and rapid-fire light cannons, three trailers loaded with ammunition, and ambulances entered the central area of the ghetto. Together with the Waffen-SS detachments, the entire German Deportation Headquarters staff showed up, which included the SS and Gestapo officers Michelson, Handtke, Hoeffle, Mireczko, Barteczko, Brand, and Mende.[104] The Jewish population was not in sight. They were all to be found in underground shelters or in other hideouts. The ŻOB stood watch above ground. The fighters were stationed at the three key points of the ghetto that closed off the entry to the main streets.

---

[104] Full names of the German officers were Obersturmführer Georg Michelson, Hauptsturmführer Hermann Höffle, Unterscharführer Miretschko, Franz Bartetzko, Karl Georg Brandt, and Gerhard Mende.

.

First Skirmish on Nalewki Street

The first skirmish took place on Nalewki Street where two barricaded fighting units defended the street. The battle ended in a victory for the fighters. The Germans withdrew, leaving many dead. At the same time, the main battle was going on at the intersection of Miła and Zamenhof Streets. The fighters, behind barricades at all four corners of the street, attacked the main German column entering the ghetto. After the first shots were fired from automatic pistols and well-targeted grenades were tossed into the closed ranks of the SS, the street emptied out. The green uniforms were not to be seen at all. They had hidden in the stores and entryways of nearby buildings. Sporadic shots were exchanged. After fifteen minutes, tanks rolled in past the guard post.[105] They drove up almost to the positions of the fighters. Inflammable bottles, carefully and precisely aimed, were tossed and hit a tank. The flames spread surprisingly fast. An explosion followed. The machinery was disabled. The crew was burned alive. The remaining two small armored cars immediately withdrew, and behind them, in panic, all the Germans, escorted out with precisely aimed shots and grenades. The Germans lost some two hundred dead and wounded. Our losses—one fighter. After a couple of hours, the Germans positioned light cannons in the area between the two parts of the ghetto[106] and fired at our positions. Access was opened, positions captured. Suddenly, from the windows across the street (29 Zamenhof Street), grenades started falling. It was one of our groups that up to then had not been shooting and had not betrayed its existence; it attacked the Germans for the second time at the same location. The Germans lost some fifty dead. Our unit withdrew without any losses. By five o'clock in the afternoon, there were already no Germans left in the ghetto area. They had retreated into the uninhabited areas. Our advantage was

---

[105] The checkpoint at the entrance gate to the ghetto was called *wacha*.

[106] Starting in December 1941, after reduction of the initial Warsaw ghetto area, it was divided into two parts—the Large Ghetto to the north and the Small Ghetto to the south; in February 6, 1942, they were connected by a pedestrian crossing bridge. Under the bridge ran busy Chłodna Street, which was not included in the ghetto as it had important transportation significance for Warsaw, connecting the east and west parts of the city. After the great deportation in July-September 1942, the ghetto consisted of several isolated areas.

due to the fact that we had acted unexpectedly and rapidly from well-camouflaged positions.

Second Day of Action

The second day of action began with the concentration of larger SS units in the areas between the ghettos and on the Aryan side. However, most of the troops did not enter the inhabited areas. Around 3 PM, a detachment consisting of three hundred SS men marched up to the entryway of the "brushmakers" area. They stopped only for a moment, but this was enough time for the fighters to connect the electric switch, and a mine exploded under the feet of the SS men. The Germans ran away but left behind eighty to a hundred dead and wounded. After two hours, they returned to the area, cautiously, one-by-one, in combat formation. The fighters were at their positions, awaiting them. Thirty Germans entered, but only two walked out. They were attacked with grenades and inflammable bottles. Those who did not perish from the grenades were burned alive. Only then did the Germans bring in the artillery. They fired at the block from four sides. At the same time, two senior SS officers entered the area, calling on the fighters to put down their arms and proposing to suspend operations for fifteen minutes. Otherwise, they threatened to bombard the area. In response, a few shots were fired. From the other side of the block, from Franciszkańska Street, an SS unit entered, but they didn't get very far.

They were frightened off by a few random rifle shots. And again, there were no Germans in the area. This was the second total victory for the fighters. That same day, in the area of the Toebbens and Schultz shops, was an announcement of a voluntary recruitment for labor camps. However, there were no willing takers; nobody applied. Just as in the central ghetto, all the residents were gathered in underground shelters. Every few hours, the shops' management extended the deadline for voluntary departure, but that also had no effect. After the announcement that they would be forced to apply the same methods as in the central ghetto, the fighting units quartered in these areas attacked the SS detachment on the Aryan side with grenades and bombs. Forty were killed and many were wounded. The units headed for the central ghetto on Nowolipie-Smocza streets, as well.

On the second day of the uprising, at the order of *Polizeiführer* Globocnik,[107] specially brought in from Lublin, the Germans began to set fire to the ghetto; in the first place, the buildings and blocks of buildings where they encountered resistance—i.e., 33, 35, and 37 Nalewki Street, 28 and 19 Miła Street, and 28 Zamenhof Street—and then, the entire "brushmakers" row (which was the first enormous conflagration). In response to the ghetto being set on fire, the fighters burned all the *Warterfassung*[108] and the shops' storehouses—worth several tens of millions of złoty.[109] The action continued. The Germans searched for the underground shelters. It was made easier for them because people came out at night into the courtyards due to the great heat. The traces they left behind pointed to the shelters. The Germans were very much helped by eavesdropping apparatus and bloodhounds.

At this point, the fighters changed from offensive to defensive tactics. They wanted as much as possible to save the people in the shelters. The forces began to regroup. Fighting units were assigned to many of the shelters. On the sixth day of action, defensive battles in the Toebbens and Schultz areas began. The fighters fortified themselves in buildings and garrets, not letting the Germans into the shelters. Every day at a different location, the fighters defended people in the shelters. Particularly intense battles were waged at 51 Nowolipki Street, 74, 76, and 78 Leszno Street, and 67 and 69 Nowolipie Street. Fighting units conducted not only defensive action but also offensive. Each time the Germans attempted to break into the ghetto, they had to back off, pushed back by heroic defenders, leaving also behind on the field of battle hundreds of bodies. Ashamed of their continuous defeats, they spread a rumor that German deserters were directing the defense of the ghetto. However, the ghetto had to be conquered. Therefore, they

---

[107] Odilo Globocnik (1904–1945), a construction engineer before the war, was the SS head of police in Lublin. Sent by Heinrich Himmler to construct the death camps in Bełżec, Sobibór, Majdanek, and Treblinka, he took control of Aktion Reinhard in 1942.

[108] Werterfassungstelle (correct name) was the SS enterprise collecting and selling the property of the murdered Jews.

[109] According to the Aktion Reinhard Document 4024-PS of 1/15/1994, one million złoty was then worth approximately $4,630.

brought artillery and placed heavy batteries on Krasiński Square, Muranowski Square, and on Świętojerska and Bonifraterska Streets. A formal siege of the ghetto began. Incendiary mortar fire spread death among the population. Airplanes circling over the ghetto dropped explosive and incendiary bombs.

The entire quarter, set on fire from all sides, was immersed in flames in which thousands of people were losing their lives. Desperate Jews jumped onto the pavement from the highest floors of the buildings. Those who managed to escape with their life found death from German bullets. Fighting units, chased out from their positions by the raging flames, had to change their tactics. They organized guerilla warfare in the ruins, where German detachments were waiting to pounce. Fighting continued day and night without interruption. The Germans had to conquer every street, every building. However, the situation was becoming unbearable. There were almost no casualties among the fighters, but there was no shelter for those exhausted from continuous fighting, since the entire ghetto was burning. The asphalt, under the influence of the heat, melted into a mass of tar. Food supplies were destroyed by the flames; the wells, dug out with great difficulty, became buried with the debris of collapsing homes, and what is worse—ammunition supplies became exhausted. In small groups, the fighters moved through the streets, dressed in helmets and German uniforms, with feet wrapped in rags in order to mute the sound of their steps. They attacked the Germans marching by; however, there were fewer and fewer of them showing up. Fighting in their stead were the flames, the airplanes, and artillery positioned outside the walls surrounding the ghetto.

Death of the Heroes

After a thorough review of the situation, the command of the Fighting Organization decided to send their emissaries to the Aryan quarter in order to establish contact with the representative of ŻOB stationed there. On the eve of the operation, in this capacity, Icchak [Cukierman] was sent to take the place of Arie,[110] who was captured by the Germans

---

[110] Arie Wilner (1917–1943) was the ŻOB liaison on the Aryan side.

but managed to escape from Pawiak Prison, and had to return to the ghetto. On their own, they organized a rescue action. The emissary of the ghetto, Symche R.,[111] on the night of May 8, returned to the ghetto in order to extricate people from there, but it was already too late. Using special equipment and police dogs, the Germans began to uncover the underground Jewish shelters. On May 8, the Germans surrounded the main shelter of the fighting organization and closed all five entrances leading to it. Because of the hopeless situation, in order not to fall alive into the hands of the Germans, Arie W. called on the fighters to commit suicide. As the first to act, Lutek Rotblat[112] first shot his mother and then himself. The majority of the members of the Fighting Organization, with their commander, Mordechaj Anielewicz, at the head, thus met their death in the shelter. We rescued from the ghetto approximately eighty people, the greatest part of whom, however, later perished in the Aryan quarter or in the forests. The units of Józef U. and Zachariasz U.,[113] with whom we were not able to establish contact, continued to fight in the ghetto for several weeks longer. Afterward, all trace of them disappeared.

---

[111] Symche Ratajzer-Rotem (1924–   ) was a member of the ŻOB and Cukierman's liason; he fought in the 1944 Warsaw Uprising; lives in Jerusalem.

[112] Lutek Rotblat (1921–1943) had been a leader of the Zionist Akiba youth movement.

[113] Full names are not known.

The Ghetto Speaks

> *On the first anniversary of the Warsaw Ghetto Uprising, the monthly bulletin issued by the American Delegation of the Bund, entitled* The Ghetto Speaks *received several dozen messages by many leading personalities. We are presenting excerpts of some of them translated from the English language.[114]*

Mrs. Eleanor Roosevelt:

" . . . they died for all of us, that we must live for them. But it is the kind of truth that is too soon forgotten. Only truths that ask little of us are easy to remember. My message to you, therefore, is what I tell myself, 'Let us not forget.'"

Professor Albert Einstein:

"The Germans as an entire people are responsible for these mass murders and must be punished as a people if there is justice in the world. . . . Behind the Nazi Party stands the German people, who elected Hitler after he had, in his book and in his speeches, made his shameful intentions clear beyond the shadow of a doubt. . . . When they are entirely defeated and begin to lament over their fate, we must not let ourselves be deceived again but must bear in mind that they deliberately utilized the humanity of others to prepare for their last and most grievous crime against humanity."

[114] *The Ghetto Speaks* 23 (April 1, 1944) was a periodical published in English in New York for the specific purpose of disseminating information about Poland. It was published by the American Representation of the General Jewish Workers' Union of Poland, beginning in July 1942; The original English is quoted here whenever possible.

Herbert H. Lehman, director of UNRRA:[115]

"I wish to commend your organization for taking public recognition of the first anniversary of the Battle of the Warsaw Ghetto, a crime of man against man that will never be erased from the pages of history. I am glad of the privilege of paying homage to the memory of those who so gallantly fought the losing battle for life and freedom."

Karin Michaelis, Danish author and recipient of the Nobel Prize for Literature:

"I am now old and my life is of very little value. I am therefore not acting heroically when I say—and mean it—that I would gladly give the few years I have left, could I do anything either to help the still living Jews or seek revenge for the murdered."

Hon. Thomas H. Dewey, governor of the State of New York, Republican candidate for president of the United States:

"The lesson of its valiant defense will be long in the memory of mankind. . . ."

"The people of the United States should feel proud today that this free Republic has been able to give . . . shelter and strength to a large and sturdy body of Jewry. . . ."

Hon. Fiorello H. LaGuardia, mayor of the city of New York:

"Pass on the word to the Polish Underground to keep up its good work. They have not been forgotten and the sun is rising on a new day. They who have been ground for so long under the heel of that unmentionable Nazi creature and his fellow creatures have not much longer to suffer."

David Dubinsky, president of the International Ladies Garment Workers Union, one of the largest labor unions in America:

"The voice of the martyrs who died as heroes in . . . the Warsaw ghetto calls for a reckoning from the fiends who deliberately ordered the extermination of an entire people. The civilized world must not, will not forget this wholesale butchery. We will not forget!"

---

[115] UNRRA-United Nations Relief and Rehabilitation Administration, established by agreement of 44 nations in November 1943.

Wendell L. Willkie[116]:

"The heroic resistance of the Jewish Community in Warsaw will stand out forever in the annals of a courageous people. It is indeed an honor to salute their memory."

Philip Murray, president of the Congress of Industrial Organizations [CIO]:

"On the first anniversary of the Battle of the Warsaw Ghetto, I should like to renew the pledge of the Congress of Industrial Organizations to support the Jewish people in their fight for survival and freedom."

Angelica Balabanov, internationally prominent Socialist leader and writer:[117]

"History will record and remember that the first and most efficient *'No passerans'* [They shall not pass], the first irreparable defeat was inflicted on the then almighty Hitlerites by the Jewish proletarian ghetto. . . ."

"The ghetto spoke. Teachings and the example of comrades Erlich and Alter triumphed.[118] They, the Fascists, 'did not pass.'"

Sidney Hillman, president of the Amalgamated Clothing Workers of America:

"I am especially proud that the Jewish workers had taken the initiative and leadership of the people's uprising. Even in the hell of Nazi occupation, the Jewish workers have not forgotten their fighting traditions, have not surrendered their human dignity. . . ."

---

[116] Wendell L. Willkie was the 1940 Republican candidate for president of the United States.

[117] Angelica Balabanov (1878–1965), born in Chernigov, Ukraine, joined the Bolshevik party in Russia and became secretary of the Comintern. In 1922, she broke with the Bolsheviks and left for Italy.

[118] Henryk Erlich (b. Hersz Wolf, 1882–1942) and Wiktor Alter (1890–1943) were among the top leaders of the Bund in Poland. Erlich was a member of the executive committee of the Labor and Socialist International, and Wiktor Alter was president of the Polish National Council of Trade Unions [*Centralna Rada Związków Zawodowych*]. They were arrested by the Soviets. Erlich committed suicide in prison; Alter was shot.

"The surviving European Jews must be given the opportunity to build anew their shattered lives, their homes, to live in freedom and equality among their neighbors."

Julius Deutsch,[119] former minister in Austria and member of the executive committee of the Austrian Socialist Party:

"When the world will count its heroes, fallen in the struggle for freedom, the Jews will recollect with pride, and non-Jews with highest esteem, those who died fighting in the Battle of the Warsaw Ghetto."

Oscar Pollak, [120] London Bureau of Austrian Socialists:

"In the course of Jewish history, the Bund performed the miracle of educating the Jewish workers to successfully resist all enemies. . . ."

---

[119] Julius Deutsch (1884–1968), an Austrian social democratic leader before World War II, member of the Austrian Parliament (*Nationalrat*) 1920-33, and parliamentary commissioner of the military, served as a general in the Spanish Civil War, 1936–39. In 1940, he fled to the United States but returned to Vienna in 1946 and became head of *Sozialistische Verlagsanstalten* [Socialist Publishing Organization].

[120] Oscar Pollak (1893–1963), a prominent socialist journalist and editor, left Vienna in 1934, eventually settling in London. He returned to Vienna in 1945 and became editor of *Die Zukunft* [The Future], the magazine of the Social Democratic Party.

ŻOB Exits the Underground

They began hurriedly to add to their supply of arms. Money was collected for the purchase of weapons, grenades, and ammunition. Polish underground organizations provided assistance, sending some weapons and ammunition and quite a few grenades. Military instructors traversed the walls to teach them how to handle weapons, methods of street fighting.

Young fellows saved their coins one by one in order to buy a "WIS" or a "Parabellum."[121]

The ŻOB decided that the first order of business was to clean out the ghetto area.[122] After Lejkin[123] (who directed the deportation action by the Jewish Auxiliary Police and was killed already in December 1942 following a verdict by the ŻOB) came the turn for Fürst,[124] the "*macher*" of the Jewish community council;[125] the Gestapo historian Nosik;[126] and then for Jewish spy agents in the ghetto area, who were all liquidated.

---

[121] "WIS"—type of Polish handgun (from the initials of its inventors); Parabellum—German automatic pistol.

[122] Their purpose was to get rid of collaborators.

[123] Jakub Lejkin, lawyer, was deputy head of the Jewish police in the Warsaw ghetto.

[124] Israel Fürst, head of the economic department of the Warsaw Judenrat, was accused of cooperating with the Gestapo. He was killed by ŻOB on November 28, 1942.

[125] In Yiddish, *macher* means a big shot, one who makes things happen.

[126] Dr. Alfred Nossig (the correct spelling) (1864–1943) was a writer, journalist, artist, and political activist who advocated that Jews settle in Palestine. Since he had lived in Germany and spoke German, he was appointed director of the department of culture of the Warsaw Judenrat. In this role, he collaborated with the Gestapo. Early in 1943, he was killed by ŻOB.

The ŻOB press issued publications that gave information, taught, and explained. Fliers and proclamations appeared. Weapons were hurriedly collected, but they were always in short supply, and bunkers were constructed.

In the workshops, the German bosses were trying to persuade people to depart, promising excellent working conditions. Such activity did not produce results; nobody was reporting for the voluntary transports. It was then that the Germans unexpectedly surrounded *Werk* III[127] of Toebbens and deported all the workers to Poniatowa,[128] where they were to build barracks and get new factory workrooms ready. A few days later, the same took place in one of the Schultz workshops.[129]

In February, a Gestapo functionary—who had imprudently wandered into Miła Street, where the headquarters of the ŻOB was located—was wounded. In retaliation, the pacification of Miła Street followed, with the participation of all of the Warsaw Gestapo armed with machine guns and grenades. And again there were many dead bodies.

(I. Luber, *Life and Death of the Warsaw Ghetto*,[130] p. 26)

* * *

Then, above all, Białystok, one of the remaining Jewish industrial centers—which, before the war, was under the strong influence of the Bund—offered armed resistance to the German executioners in mid-August of that year when they began the liquidation of the Białystok ghetto.

Armed resistance, which lasted about a month, was a major act of resolve and heroism. The Germans, who used similar methods and tools in this fight as they had in Warsaw, suffered a substantial number of casualties. The Białystok ghetto, numbering thirty thousand, many of whom were killed, was liquidated,[131] with a small part of it transported to Trawniki.

---

[127] *Werk* means workshop.

[128] Poniatowa was a forced labor camp 24 miles west of Lublin.

[129] The Schultz workers were transferred to the Trawniki forced labor camp 25 miles east of Lublin.

[130] Polish title: *Życie i Śmierć Ghetta Warszawskiego* (Rome: Biblioteka Orła Białego, 1945).

[131] The Białystok ghetto was created in July 1940; its liquidation began the night of August 15-16, 1943. Before the war, Białystok had approximately 74,000 Jews.

Assembled for services for the eternal rest of Polish-Jewish soldiers who fell in the battles of the Polish Second Corps on Italian soil.

Services conducted by the Chief Rabbi of the Second Corps, Major Dr. Natan Rübner, with the participation of Allied and Italian clergy.

And next came Treblinka, a camp of gas chambers, where the Nazis put to death hundreds of thousands of Jews,[132] and which, at the beginning of August of this year, was thrown into chaos by the Jews working there. The Jews rebelled; they killed every single one of the eighty-person German-Ukrainian camp staff, took away their weapons, burned the buildings of this killing place, cut the lines, and organized the flight of some two hundred Jews to the nearby forests.

* * *

On a much smaller scale during the period covered by this report, other acts of Jewish resistance took place in Tarnów, Będzin, Częstochowa, and Borysław in connection with the liquidation of the ghettos in those towns.[133]

* * *

A similar, determined and heroic act as in Treblinka took place also in Sobibór,[134] also a place of murder of hundreds of thousands of Jews. This happened in October of the current year when a large number of Jews there also escaped.

* * *

---

[132] Treblinka was a German extermination camp 50 miles northeast of Warsaw where, from 1942 to 1943, over 800,000 Jews were killed.

[133] Some 25,000 Jews lived in Tarnów before the war. When deportations from the Tarnów ghetto began in June 1942, a number of young Jews organized a resistance movement; some of the fighters left for the forests to join partisan units.

Będzin, a city in Silesia, had over 22,000 Jews before the war. On August 3, 1943, during the last deportation from the Będzin ghetto, there was an organized armed resistance.

Częstochowa had about 28,500 Jews before the war. The ghetto was established on April 9, 1941, and 20,000 Jews from other towns were brought there. In January 1943, a branch of ŻOB organized in the ghetto rose in armed resistance.

Before the German occupation of Borysław in June 1941, 13,000 of the approximately 40,000 inhabitants of Borysław were Jews. The Jewish population was gradually liquidated in several actions. A few remaining Jews organized pockets of resistance, but the Germans combed the forests, captured, and shot them (August 1943).

[134] Sobibór was the site of a German extermination camp 50 miles east of Lublin. It is estimated that 250,000 Jews were killed there.

Then, already in February of the current year, the Jews of the Łódź ghetto carried out a serious act of resistance, though not with arms. They conducted a general strike in response to the Germans starting mass executions—which were halted as a result of the fight they put up. [135]

* * *

Finally, we need to note that certain other Jewish concentration camps, in particular Poniatowa and Trawniki, were preparing acts of armed resistance. Just as is done here, the Coordinating Commissions inside the camps directed the activity of preparing for resistance as well as for providing mutual assistance. [136]

* * *

Partisans — As I mentioned above, in connection with the liquidations inside the ghettos, and then of the ghettos themselves, and also with the cruel regime in the Jewish camps, certain groups of Jews—particularly the more active ones—escaped from time to time from places of execution into the forests, and in this way formed "brigand" bands or, much less frequently, joined partisan groups they happened to chance upon along the way. What was at issue was whether the Jewish Fighting Organization (ŻOB) should absorb these Jewish units into its organization. And toward this end, conversations were taking place between the representatives of the KK or of the ŻOB with the appropriate official military arm of the Polish Underground.

(Excerpts from the *Biuletyn*, year II, no. 3, pp. 5–6, 1944)

---

[135] The information about the general strike was not confirmed.

[136] The Coordinating Commission [*Żydowska Komisja Koordynacyjna*—ŻKK] was formed by Jewish underground organizations in the Warsaw ghetto (except for ŻZW) in October 1942 and coordinated Jewish resistance with the Polish Underground (AK).

The Ponary "Base"[137]

And yet people lived even in the town of Ponary itself. There were fewer of them. Half of them, i.e., on the whole, anyone who could, snapped shut the doors and the porch, nailed the windows shut with boards ripped out from the fence, and moved to the city or to some other area. But there were those who could not. Human life goes on within narrowly curtailed confines, curtailed with difficulty, and during wartime, even more so than in times of peace. No beast could adapt to such conditions, be so touched by horror, and get so used to anything in the world as can—a man. Through the station at Ponary passed trains from the "General Gubernia,"[138] long distance trains from Berlin to and from the frontline, local ones from Kowno, and suburban trains and worker transports to and from Wilno.[139] Thus, people were purchasing tickets, coming and going, eating and sleeping. So many of them lived in the vicinity of animal slaughterhouses all over the globe. Why shouldn't they, after a few years, get used to life in proximity to a human slaughterhouse?

It would seem that it was in October 1943. . . How many Jews were murdered in Ponary before and since that time? Some maintained that it was only 80,000; others, that it was between 200,000 and 300,000. Of course, these are not believable numbers. Three hundred thousand people! PEOPLE!!! That is easy to say. . . but these numbers seem to be unbelievable, not only because of their

---

[137] "Base" signifies that the Ponary Forest, located six miles southwest of Wilno (now Vilnius), was used as a base of operations—for killing Jews and Poles. Ponary is now Paneriai, Lithuania.

[138] General Gubernia refers to the General Government, the part of Poland occupied by Germany but not incorporated into the Third Reich.

[139] Kowno is Kaunas in Lithuania.

magnitude, but also because of the fact that no one could have determined them with full certitude, even approximately. It is known that all the Jewish inhabitants of the city of Wilno had been murdered there, which must have amounted to approximately 40,000.[140] In addition, they were bringing Jews with transports from all the smaller and larger towns in the occupied territory, probably from the entire area administratively known as *Ostland*.[141] They were transported with families from the ghetto or from seasonal work projects—after the work was finished they did not return to the ghetto but were transported to their deaths.

And so in October 1943 commenced the period of mass deportation of Jews to Ponary. Of course, nobody was forewarned about it, nor did they know whether, after the latest mass execution, yet another one would come or whether there would be a lengthy pause.

One of my acquaintances, who from the very beginning kept grabbing his head and swearing that he would not last another day because he would go berserk, nonetheless lasted almost three years. I had urgent business with him. He did not come to Wilno for our arranged meeting; therefore, the next day, I borrowed a bicycle, and in the morning I set out for Ponary.

The morning was rainy, and it was rather slippery. The front wheel of the bike would run into a shallow puddle, and every few moments, some dead leaf on the path would stick to the tire and rotate on it a few times, then drop off as something superfluous, and then another one would stick. Over the Ponary mountains, the wind was propelling clouds under layers of clouds and was causing them to become stretched out and jagged and not allowing them to break through to the blue sky above. In the ravines, it was quiet. On the side roads, it was empty, deserted, and the rainwater, unsullied by passing wheels, stood in ruts. For some, making note of these simple facts may seem trivial or superfluous. For me, it was the trappings of one

---

[140] According to Czesław Michalski, a Polish historian at the Academy of Pedagogy in Kraków, altogether between 60–70,000 Jews were killed in Ponary, as well as 20,000 Poles (see konspekt 5, 2000–1, *Akademia Pedagogiczna w Krakowie*).

[141] *Reichskommissariat Ostland* [The Reich's Eastern Territory Civil Administration]. This area was formerly a part of the Polish borderland; currently, it is western Belarus.

of my most significant life experiences. Off to the side, I passed next to a railroad tunnel and entered a grove of birches. The bicycle rolled here along a golden path paved with leaves and whispered with its rubber tires—lip, lip, lip. And immediately beyond the grove, I ran into a guard. He was an Estonian from the local SS units formed by the Germans. His face was red, as if he were quite drunk. He made a motion that he wanted me to stop but only looked at me with blurred eyes and let me go. I went on along the path next to the railroad track.

Already from a distance one could see a passenger train standing at the station. It was standing without steam on a sidetrack. The path took me downhill, under an embankment, and there I passed a sight that, along with many from that day, has stuck in my memory perhaps forever. Under a low growing small pine tree—growing like many in this region with two trunks, shaped like a lyre—stood a wooden table. On the table were several slim one-liter bottles of Lithuanian vodka, sliced bread, and coils of kielbasa, like a stand at a church fair. Several uniformed figures surrounded the table. I pressed the pedals. "Halt!" said a German in a Gestapo uniform. I pulled out my documents, and I felt that this was altogether hideous—this vodka and those drunken faces and the fact that my heart leapt to my throat, and these strings of kielbasa, and the fact that this bread was sliced with such piety into equal pieces, and particularly this little table. Why was it wobbling? Couldn't they have set it up more level? And what was the meaning of all of this anyway? A few Germans from the Gestapo and a few black-uniformed SS men. The majority were Lithuanian policemen but also some sort of a mixed group in light-colored German uniforms with Lithuanian, Latvian, Estonian, and Ukrainian insignia. . .

"*Wo fahren sie hin?*" asked the German, returning my papers.[142]

I explained—to see an acquaintance in the settlement. He shook his head and the knife that he held all the time in his hand, began to eat the kielbasa, and then, he added calmly, "But you must hurry."

"Why are they drinking this vodka here?" . . . And suddenly I arrived in front of the train. At that point railroad ties lay strewn across the path, therefore I got off the bike, and at that moment I began to understand everything. A very long train (it did not occur to me then to count how many wagons) packed with Jews. Faces peered out of it,

---

[142] *Wo fahren sie hin?* [Where are you going?]

sometimes not resembling human faces, but others looking normal, and some even smiling. The train was surrounded by police. Somehow all of this looked too obvious to me, somehow not as my imagination had depicted it until now. Is it possible that they will here . . . all of them . . . I stood leaning against my bicycle, when at that moment, some young Jewish girl leaned out of the wagon window and straightforwardly, most naturally in the world, asked the policeman,

"Will we be starting up again soon?"

The policeman looked at her, did not answer, and with the measured steps of a guard, choosing the railroad ties to step on, walked away, and when he got even with me, said with a half-smile . . . (But it was not a mean smile, nor ashamed, nor glad, but rather a little simple-minded), and he then said,

"She is asking whether she will be departing soon? . . . In but half-an-hour, she may already no longer be alive."

I look at that window. I see her face, and there, under her elbow pokes out the head of a little girl, and in her hair, maybe something looking like a little bow. Little sparrows alight on the roof of the wagon. And a strange thing, at that moment the thought occurs to me, "She will depart, and the little girl, with the little rag instead of a ribbon, will depart, and all of them, the entire train. Maybe the guard is wrong," . . . but as I think this, I feel my legs are trembling under me. Somebody yells that I should not be standing there. I walk away and my glance falls on this inexorable sign, painted in black letters on a white background, "Ponary." The sign, like any sign, supported by two posts, the posts sunken into the ground. It is all very simple and the same as the signs at other stations. They all always stand across from the stopped train and address it with the letters written on them.

I walk away behind the wire fence that separates the sidetrack at this point. . . "P" as in Paweł . . . "o-n-a-r-y" by itself does not mean anything, a hollow sound, and at this moment, the sound reaching from the train begins clanging, at first like bees in a nest awakened in the morning; then something in it begins snorting, the grating noise gets louder behind the tightly shut doors, like the screeching of thousands of rats, then the hubbub, the horrible commotion, becomes a roar—screaming, howling . . . windows pounded with the fists shatter, some doors creak and creak and then break apart under the pressure. Policemen swarm around, visibly increased in numbers, run around gesticulating, ripping their rifles off their backs. The clanking of metal gunlocks is to be heard, and the wild, threatening roar of them, the policemen, in response to the roar of the people locked up on the train.

I just saw how the sparrows flew off the roof of the wagon, and being already separated by the wire fence from the fatal track, I managed to hop under the overhang of the train station's building. Thank God, standing there were also two railroad men in their uniform caps. I was not alone.

I tighten the grip on my bicycle, and subconsciously, I sense that in light of what is about to happen, of the most horrifying thing that is sure to happen, this bike, these railway men to whom I am clinging, this standing motionless in one spot, they are all that serves to identify me, giving me the right to continue living. We huddled together behind this bike as if it were a bunker, because there was already no place to which one could escape.

Jews started jumping out from the broken wagon doors, and the assassins in various uniforms ran to confront them and assist the guards. From the windows they started tossing out bundles and suitcases, and Jews started scrambling out of the windows as well, they themselves unkempt and awkward just like their bags and packages. That was a matter of just a few seconds. The first shot rang out in the following way. Some Jew had just gotten out backward through a narrow window, dropped his feet down and stuck out his behind, when a policeman jumped up, and from the distance of one step away—fired at his rear end. The shot resounded loudly, and immediately crows took off from the nearby trees. In the general turmoil, it could not be heard whether it was the fellow who was hit who was shouting. Just his entangled legs were flapping around in the trouser legs pulled up almost to the knees, so that one of his galoshes fell off from his bare feet, and the other one was dangling from a string attached to the ankle.

Ghastly yelling and lament and howling and crying erupted, and suddenly, from all sides, shots burst out, bullets were whistling, blows with rifle butts were falling down with the crackling crunch of broken bones and skulls cracking open. Somebody jumped across a ditch and, having been hit between the shoulder blades, fell down into it like a black bird, with arms spread out in the shape of wings. Somebody was crawling on all fours between the tracks. . . . Some elderly Jew lifted up his beard and was extending his arms to heaven as if in a biblical painting, and suddenly blood gushed out from his head and also chunks of brain. . . . Some wicker baskets rolled out. . . . While running one policeman tripped . . . Tiuuuu! A bullet whistled by, . . . and over there, for some reason, a few people were piled one on top of the other. . . . Quietly, across the tracks was stretched the body of a young boy, maybe nine years old, and although his voice would not have been heard even if he had yelled, it could be seen that he was already no longer alive because he did not move. Commotion began under the wheels of the wagons, because most of the people sought safety there, and it was there that machine guns sprayed forth the most, as if from sprinklers, into the dark mass of these shabbily clad figures. And there jumped down this young Jewish woman, her flaxen hair streaming, her face distorted in inhuman fright, from her ear, on a wrap of hair, hung down a comb; she grabbed her little daughter. . . . I can't look. The air is rent with the clamor of murdered people, and yet in it you can tell apart the voices of children, a few tones higher, just the same as the crying-howling of a cat at night. No words devised by humans can describe it!

. . . The young Jewish woman first fell on her face, then flipped over backwards, and waving her hand around in the air, searched for the little hand of her child. I can't hear it but can see from the shape of the little girl's mouth that she is crying, "Mama!" . . . On the top of her head fluttered a small bow of tattered cloth, and leaning forward, she grabbed her mother by the hair.

Do you think that those assassins, executioners, Gestapo men, SS men, and police rabble recruited to murder never came into the world like us, did not have their own mothers? Women? You are wrong. They are also from such human clay, humans turned into animals, pale white like snow that will soon fall here. They are like crazed men, savages in a dance, moving around with weird gestures with their killing and shooting. . . . Because how else could one explain that a policeman gone completely berserk, completely bent over with his mouth all crooked as if it had been slashed across by a sable, grabs the Jewish woman by her right leg and tries to pull her between the rails. Where and why?! The woman's legs spread out, the left one gets hooked on a rail, the skirt slips down to her waist, exposing underpants, gray from grime, and the child, the child grabs the hair of her mother being dragged over the stones, and pulls it toward her, and you can't hear, but you can see she is howling, "Mammme!" . . . Blood now gushes out from the mouth of the woman being dragged. . . . A dense wall of uniforms blocks the view for a moment. . . . And then some Latvian lifted the butt of his rifle over her wind-blown hair, tied at the crown of the head with that little bow out of a small rag, and . . . I closed my eyes, and it seemed to me that somebody rang a bell. Yes, indeed, the railway man rang the bell of my bike, grasping convulsively the handlebar, he clutched the bell with his fingers, spasmodically he involuntarily squeezed it, leaned forward, and—he vomits; he vomits on the gravel of the station platform, on the tire of the front wheel, on his own hands, on my boots, vomits spasmodically, as if in convulsions, like those dying on the tracks. . . .

A Jew wanted to jump over the track railing. Wounded in the leg, he fell on his knees, and now I hear clearly one after the other— crying, a shot, groaning. Ach, and what does this one want to do?!!! The one nearby, forty steps away in the black uniform! What is it he wants to do? . . . He straddles his legs next to the post, positions himself sidewise, swings with both arms. . . . A moment more . . . What is he holding in his hands?! What is it in his hands?!!! On the wounds of Jesus Christ! Something large, something horribly awful!!! He takes a swing, and—smashes the head of the child against the telegraph pole! . . . Aaaaa! Aaaaa! Aaaaaa! groaned somebody next to me. Who that was, I don't know. And in the sky . . . not in the sky, against the background of the sky, the telegraph wires trembled from the blow.

Not all the Jews had left the train. The majority had stayed put, frozen still with fear, paralyzed in motion, with this small spark no longer so much of hope but rather of confusion that this is—a mis-understanding, after all they were told officially that "they were going for labor to Koszedary."[143] (All the transports arriving at Ponary were told that.) Then there were those who jumped out and then became terrified, stood flat up against the wagons, petrified, as if with this

---

[143] Koszedary, then in Poland, is now Kaisiadorys, Lithuania; it is located between Kaunas and Vilnius.

frozen stance they could ransom themselves from death. As they stood there, they were being shot on the spot.

How long could "this" last? God alone—who surely was watching and could even see through the dense clouds of that day—could count the minutes. Evidently, however, it was close to eleven o'clock, because from the south the express train from Berlin was approaching that ran through Wilno to Minsk without stopping in Ponary. The engine driver, seeing crowds of people on the tracks, started blowing the whistle furiously already from afar, and one could see that he was applying the brakes. But the Gestapo man standing in the front part of the station waived energetically, signaling that he not stop. The engine driver applied side steam, hissing in white puffs of smoke, and covering up the view for a moment, rolled over the bodies of the dead and wounded, cutting through torsos, extremities, heads, and when he disappeared into the tunnel and the steam dispersed, all that remained were large puddles of blood and dark spots of shapeless bodies, suitcases, and bundles lying around, all similar to each other and still. And only just one head, cut off at the neck, which rolled off to the center of the level crossing, was clearly visible as the head of a human being.

The train with the rest of the Jews now stood surrounded by the guards, and shots could still often be heard but now more removed in the forest and among buildings in the settlements.

* * *

Later, it was said that a few dozen Jews did manage to escape, nonetheless. The rest were taken to the "base." It was further said that there were about seven such transports in this location. It was also reported that special methods of convoy control were applied that would prevent in the future such incidents as the one I had witnessed.

(J. M.[144] *Orzeł Biały*,[145] no. 35/170)

---

[144] Józef Mackiewicz (1902–1985), writer and commentator, who lived in Wilno before the war, was dedicated to accuracy in writing about political issues and lesser-known facts of Polish history. He escaped to Italy in 1944, later lived in London and Munich, and was the recipient of literary prizes in postwar Poland. In 1969, he wrote *Nie trzeba głośno mówić* [Not to be Talked about Openly] (London, Kontra, 1993), which includes this article "Ponary 'Baza.'"

[145] *Orzeł Biały* [White Eagle] was the newspaper of the Polish Second Corps.

KAZIMIERZ WIERZYŃSKI[146]

To The Jews

Chosen again for the umpteenth time
Among all the human descendents on this earth
For annihilation, for death and torture,
And now even surgery and chemicals.

Confined in the ghettos and crammed in like cattle
Running to the gates, so that from poverty and ruins
They could then transport you in wagons used for lime,
Those butchers of humans, to the human slaughterhouses—

So that wearing the Star of David for ridicule,
The once strong would fall from a slingshot
To the last breath you were still counting
On some rescue or the illusion of rescue—

So that branded by a number on your back,
Deloused from filthy barracks and cages,
Stacked up into layers of bones in the ovens,
Son of the same, like all of us, fathers.

---

[146] Kazimierz Wierzyński (1894–1969), poet, writer, and essayist, was born in Drohobycz under the name of Wirstlein. During World War I, he joined the Polish Legion in the east. Later, he moved to Warsaw and worked as editor of official Polish publication for soldiers as well as for the weekly *Kultura*. When World War II broke out, he made his way to France and then, via Brazil, to the United States. Wierzyński chose not to return to Communist Poland and instead settled in London. He was the recipient of many awards for his writings.

So that not comprehending your own fate
From the first slap to the end of your life
You would query heaven and earth—why?
Son of the same, like all of us, mothers.

So in your miserable suffering, if
You are searching somewhere for your kin, look among the ghosts
Of those who suffered along with you to the very end.
Brother, from the same gas chamber.

So alone in your misery, that when you question
Whether anyone will comprehend the enormity of your affliction,
Look at whom they dragged through the hushed corridor
That very night, just next to your home.

So betrayed in your misery by the mighty,
Who sold out the world for bullets and lead,
Look at how our brothers and wives perished,
Today all mingled in a handful of ashes.

So oppressed by the dark forces,
Wandering lost among graves and sleepless nightmares,
Look at what ignominy the enemy sowed on our soil,
When in it he established the Valley of Gehenna.[147]

Thus experienced, when you rose up in Warsaw,
Perhaps to perish, but finally to be free,
Look at what remains after the blood and fame
From our holy place to the insurrectionists in this city.

And so, chosen from all the nations,
Look at how common our Jerusalem is to us all,
You, who from weeping has turned into stone at the wall
And who have not yet ceased awaiting the Messiah.

---

[147] Gehenna (in Hebrew, gehinnom) means hell.

JAN BIELATOWICZ[148]

Kaddish

Mourner: May His holy name be extolled and hallowed throughout the world, which He created according to His will. May His Kingdom prevail in this life, our own lives, and the life of the whole House of Israel, now and in the coming days, and let us say Amen.

Congregants and Mourner: Let His great name be blessed forever and ever.

Mourner: Let the name of the Holy One, blessed is He, be blessed, adored and praised, exalted, honored and venerated, extolled and glorified, although He is beyond all praises and hymns, prayers and supplications that we can utter. And let us say Amen.

Congregants and Mourner: Praised be the Lord to whom our praise is due now and forever.

Mourner: May there be abundant peace from Heaven and life for us and for all Israel; and let us say Amen.

Congregants: My help comes from God who created heaven and earth.

---

[148] Jan Bielatowicz (1913–1965), publicist and Slavic linguist before the war, was brought up in Tarnów; mobilized during the war, he crossed the border and was interned in Hungary. He later reached the Middle East and joined the Carpathian Brigade. He fought in Tobruk, then in Italy, including Monte Cassino, and received the Cross of *Virtuti Militari* and Cross of Valor. After the war, he emigrated to England and became editor of Catholic news publications, then worked for Radio Free Europe. His book *Książeczka* [Booklet], containing recollections from Tarnów (Veritas, 1961), was named the best Polish book at the time.

Mourner: He who makes peace in His high places, may He bring peace upon us and upon all Israel, and let us say Amen.

* * *

This prayer, known as *Kaddish*, is recited by Jews over a grave during the burial of their dead.

* * *

This Benjamin plays strangely. Everything, just as he is told. When looking at the person playing one sees the face of one who is concentrating, like a statue, like that of Goethe. He plays very rarely—only when at a resting place where there is a piano and he himself is free from service as a courier for the battalion. Benjamin is very different when he plays *Aida* or the *Sonata Pathetique* and quite different when he carries six dinners for the entire office. Two different persons. Strange, mysterious, untested, like his people. Because Benjamin comes from Zaolzie;[149] he is a Czech citizen, a musician, who has traveled all over the world, and although when in Palestine, encouraged to stay there—after all that happened—at the age of forty, he is serving as a private in the Polish army.

Nearby stands an old soldier from the Carpathian Brigade. (Benjamin is now playing—how strange it sounds—"Farewell to My Fatherland" by Ogiński.[150]) The Carpathian fellow doesn't say anything. His [Benjamin's] Semitic profile does not evoke hatred. I remember this profile covered with Libyan dust during the toughest demands of those battles, when pale from weariness he leaned out from the trench in Tobruk next to which had just exploded a shot from the cannon "Pavia," and when he would come back from the all-night patrol in Gazala.[151] Jewishness is never written on the face as much as in war—in fear and fatigue. A Jew from Bóbrka, he was forced—as he himself admits—by his wife, Klara, in Lwów, to leave in September for the wide world in order to fight to the very end

[149] Lands beyond the Olza River in the Cieszyn area of Silesia.
[150] Michał Kleofas Ogiński (1765-1833), Polish-Lithuanian political activist, composer.
[151] The Battle of Gazala was fought near Tobruk in Libya, May 26-June 21, 1942.

alongside the Poles. He remained faithful to his duty to this day, although he never talks of himself as if he were a hero.

How different is the world of Torah, black caftans, tallit, and the Tomb of Sarah from life around us in Europe demanding that one be unambiguous and straightforward! How remote the world of Brody, Bóbrka, and Bobowa from Ancona, Peruggia, and Scapezzano!

As he plays, Benjamin whispers something to himself, and though he listens faithfully to everything that they request he play, he is somewhere far, distant from the world, far away from here.

Only a few of them reached the line along the Cesano River. They themselves estimate the number as being one percent. Instead of the full ten! But this one percent is here, is fighting, is clenching its teeth and believes in Poland. This good one percent. The just Republic of Poland will never forget those who joined the ranks of its best sons. Their lives, all that man holds as being of greatest value, they brought with them when Poland beckoned. In the prayer *"Kaddish,"* the key word is "peace"—the highest ideal of humanity on earth. The Israelites decided to forego peace when they sensed common cause in the tragic struggle for Poland. They chose the sword.

The Italian sky closed over, of blessed memory, Leon Pastor, Lewi Grünberg, Zygmunt Langsam,[152] Izaak Ancewicz,[153] Teodor Baum,[154] Abram Tenenbaum,[155] Józef Thieberger,[156] Maurycy Unger,[157] Abraham Wurzel,[158] Henryk Zegrze,[159] and others. They fell on the crests of Cassino, over the waters of Chienti, Musone, Misa, and

[152] Zygmunt Langsam, son of Jakub, b. Żywiec August 24, 1914, killed July 8, 1944, buried in Loreto.
[153] Izaak Ancewicz, b. Świsłocz, district Wołkowysk, July 15, 1912, killed July 12, 1944, buried in Loreto.
[154] Teodor Baum, son of Juliusz, b. Łódź May 20, 1921, killed May 12, 1944, buried at Monte Cassino.
[155] Abraham Tenenbaum, b. Tomaszów, district Brzeziny, January 20, 1911, killed July 17, 1944, buried in Loreto.
[156] Józef Thieberger, son of Salomon, b. Bestwina, district Biała Krakowska, January 5, 1909, killed May 11, 1944, buried at Monte Cassino.
[157] Maurycy Unger, son of Salomon, b. Dukla, district Krosno, January 11, 1911, killed May 12, 1944, buried at Monte Cassino.
[158] Abraham Wurzel, son of Solomon, b. Jarosław March 4, 1913, killed May 12, 1944, buried at Monte Cassino.
[159] Henryk Zegrze, b. Warsaw October 1, 1915, killed May 12, 1944, buried at Monte Cassino.

Cesano, on the mountains near Recanati, Osimo, and Ancona. The sons of the back alleys of Bielsko, Żywiec, Tarnów, Podhajce, Łapy, and Lida, who passed through the land of their prophets and did not exchange it for their adopted homeland. Pastor, an excellent marksman, perished from a bullet shot by a German marksman, and his grave lay among the rocks of Hill 593 like the Ark of the Covenant between Poland and the Jews with Poland in their hearts.

Langsam lost a brother in the Polish army, and then he, as a volunteer on an advance patrol, was killed by a German bullet on the outskirts of Ancona. With their Maccabean-like deaths,[160] they manifested the *"Kiddush Hashem"*—an expression of holiest sacrifice.[161] They had nothing holier on this earth than those words. And such holiness must be believed.

Benjamin plays Chopin's "Funeral March." The Semitic profiles ready themselves for the night patrol. One percent of them remains. With cracked lips, they whisper, "If I forget you, the Polish Jerusalem, may my right hand wither."[162] The heart of Poland beats for them and will continue to beat.

(Jan Bielatowicz, *Orzeł Biały*, no. 27, August 1944

-

---

[160] They gave their lives by fighting bravely according to the example of the Maccabeans, whose army successfully fought the Syrians in 2 BCE. This victory is celebrated each year at the holiday of Chanukah.

[161] *Kiddush Hashem* [Sanctification of God's name], Leviticus 22:32, is any action by a Jew that brings honor to God's name.

[162] Paraphrase of Psalm 137, 5:7.

Epilogue

The same room. In place of a window there is a gaping hole, ripped out by a tossed explosive, which is blocked by a cupboard and chairs. Placed on top of the barricade is a machine gun. On the left, there is a table, and on it, there is a map spread out. In front of the map is KLUGER. In front of the machine gun, MAŁY (The Kid). There is a rosy glow (everyone making an appearance in this scene looks like an apparition).

KLUGER: They should be here with the report . . . (*The roar of an airplane can be heard.*)

The KID: If the roof catches fire, then perhaps . . . should we jump out the window, what do you think?

KLUGER: No. We go downstairs (*studying the map*). We can retreat through the cellars until we reach the intersection . . . then go through the streets.

The KID (*excited, humming*): Do you think I am scared? (*He laughs. The roar of the plane comes closer. The Kid quickly points the gun upward.*) Aa . . . you are here, you are here . . . come closer, closer . . . . He is flying too high! Coward! (*in a trembling voice*). He is dropping incendiary bombs!

GLIKSMAN (*enters staggering*).

KLUGER: Finally! What happened?

GLIKSMAN: One SS detachment destroyed . . . two tanks . . .

KLUGER: What? Is it two tanks?

GLIKSMAN: . . . Disabled . . . Give me some water. . . .

KLUGER: There is no water here! Did it go according to plan?

GLIKSMAN: Behind the gate . . . near Długa street . . . they were taken by surprise. . . .

KLUGER: You withdrew. . . .

GLIKSMAN: Through the sewer. . . . Give me water. (*He is leaning against the wall. Suddenly the glow intensifies.*)

JOSEK (*rushing in*): Number 11 is on fire!

The KID: I will catch them now! (*He aims the gun downward.*)

FIRST MAN (*rushing in*): 15 is on fire!

The KID: This window is useless. I have no clear line-of-sight from here! They are hiding around the corner! I'm getting out of here! (*grabbing the gun.*)

KLUGER: Stay here!

The KID: I can't shoot from here. I can't obey such orders! (*A wave of smoke filters into the room, the screaming and crying of women can be heard.*)

SECOND MAN (*appearing at the door*): It is burning all around! What should we do?

KLUGER: How much ammunition is in the cellar?

SECOND MAN: Tonight fifty cases came in through the sewer. Eighty altogether. (*Suddenly a chorus of laughter behind the window. Shouts: "Komm her! Komm her!"*)

EVERYBODY (*They stand still for a moment.*)

SECOND MAN: Our people . . . are jumping out . . . through the windows. . . .

GLIKSMAN: It's time to quit! Let it already be the end. . . .

KLUGER: Let's withdraw through the cellars toward number 15. Let's take as much ammunition as we can. Toward the intersection, then through the street. In the direction of "Powązki."[163]

DAWID (*slipping into the room*): They are catching . . . they have spotted . . .

JOSEK: What do you want here?

DAWID: On one side and on the other . . . at the end of the cellars . . . they are standing there, and they are grabbing . . . One can no longer escape. . . .

SECOND MAN: For sure they blocked the exits. . . .

The KID: Then, we can make a break for it. Big deal. . . . Phoo! I can place the gun on the other side of the street. Very good position. They don't come close when it's on fire.

---

[163] Powązki is a district in northwest Warsaw.

KLUGER (*to Dawid*): Did you go through the cellar to the very end?

DAWID (*squirming frantically*): You can't go from the back either. I tried to go through the courtyard . . . they are grabbing . . . I'll go right at them. . . .

JOSEK (*hops toward the door*).

DAWID: Maybe they aren't killing everybody? I'll say something to them. . . . I'll give them something. . . . It's very hot here. . . . (*He no longer can find the door.*) It's very hot here. . . . (*He falls down.*)

JOSEK: You shall not tell them anything. You shall not give them anything.

KLUGER: Let's make a break for it!

The KID: A break.

KLUGER: From the entryway to the right, on the run. I'll lead the way. Get grenades ready. Guns. One of us has to stay behind to destroy the ammunition. Who?

JOSEK: Me!

KLUGER: A soldier from the Jewish Fighting Organization, Josek Berg, blows up the house at 13 Smocza Street.

GLIKSMAN (*softly*): The end.

KLUGER: No. Not the end. We're going to make the world pay for our suffering, for our humiliation, for death through torture, for death by fire, for starvation, for the unevenness of the battle, for having to persevere alone, for the fact that we will die fighting. We will present the world with an accounting. Our last shots are a demand for payment. We are dying as free men—for freedom.

GLIKSMAN (*lifts up his arms*): Do you hear us? Do you hear us?

They shake hands. They exit. The curtain falls slowly. Shots. The curtain falls. Sounds of explosions.

THE END

[Fragment from the three-act play
Smocza 13 by Stefania Zahorska[164]]

---

[164] Stefania Zahorska (1889–1961), author, playwright, and historian of Polish art, also wrote on psychological and moral topics.

Od Tłumacza

Jako żołnierz wolnych Polskich Sił Zbrojnych na Zachodzie pod dowództwem Aliantów otrzymałem tę książeczkę, *Żyd Polski–Żołnierz Polski*, po zakończeniu drugiej wojny światowej. Ten mało znany historyczny dokument obejmuje zbiór esejów na temat roli Żydów jako żołnierzy i bojowników ruchu oporu podczas drugiej wojny światowej. Napisana zarówno przez Żydów jak i nie-Żydów, była ona wydana w 1945 r. przez rabina dr Natana Rübnera, naczelnego rabina 2. Korpusu Polskiego, czyli tzw. Armii Andersa, nazwanej od nazwiska jej dowódcy, generała Władysława Andersa.[1]

Armia polska w ZSRR została zorganizowana po niemieckiej inwazji w 1941 r. Gdy Niemcy zaatakowali Związek Radziecki, Stalin zwrócił się do Wielkiej Brytanii o pomoc w formie sprzętu wojskowego. W ramach osiągniętej umowy polscy tzw. więźniowie polityczni w ZSRR, wywiezieni z polskich terenów wschodnich w czasie sowieckiej okupacji, zostali uwolnieni z obozów pracy przymusowej i mogli wstąpić do nowo stworzonej Armii Polskiej. Armia Andersa liczyła około 65 do 75 tysięcy żołnierzy, wśród których było około 4200 Żydów (około 6%).[2] Generał Anders i jego żołnierze opuścili Związek Radziecki w r. 1942, udając się przez Iran i Irak, do Palestyny a następnie do Egiptu; wszystkie te kraje wówczas pod kontrolą brytyjską. Po

---

[1] Władysław Anders (1892–1970), generał Wojska Polskiego w II Rzeczypospolitej, uwięziony przez władze sowieckie naprzód we Lwowie, a w lutym 1940 przeniesiony do więzienia Łubianka w Moskwie. Po podpisaniu w Londynie układu Majski-Sikorski 30 lipca 1941, Anders został zwolniony w sierpniu 1941 i mianowany dowódcą Armii Polskiej w ZSRR.

[2] Harvey Sarner, *General Anders and the Soldiers of the Second Polish Corps* (Cathedral City, CA: Brunswick Press, 1997), s. 135–136

opuszczeniu ZSSR Armia Andersa została nazwana Drugim Korpusem i weszła w skład brytyjskiej Ósmej Armii.

W tym czasie moja rodzina i ja byliśmy już w Palestynie. Mieliśmy szczęście uniknąć i niemieckiej, i sowieckiej okupacji, bo w połowie września 1939, udaliśmy się ze Lwowa na południe w kierunku granicy rumuńskiej w celu uniknięcia bombardowań Lwowa i nadchodzącej niemieckiej inwazji. Tam natrafiliśmy na sznur samochodów zapełnionych urzędnikami państwowymi z Warszawy ewakuującymi się do Rumunii. Moi rodzice zdecydowali podążyć za nimi do Rumunii. Później udało nam się przedostać do Palestyny, wówczas pod mandatem brytyjskim. Wielu innych polskich uchodźców, którzy znaleźli się w Rumunii — głównie katolicy, ale też pewna liczba Żydów — przybyło do Palestyny wkrótce później, w ramach ewakuacji przeprowadzonej przez Brytyjczyków z Rumunii, bo Rumunia wpadała wówczas pod kontrolą niemiecką.

Pod koniec roku 1940 stworzono wtedy w Tel–Awiwie bardzo specjalną polską szkołę zorganizowaną, aby służyć przybywającym polskim uchodźcom. W 1942 r., Armia Andersa dotarła do Palestyny. Po ukończeniu matury dosłownie wszyscy chłopcy, zarówno chrześcijanie jak Żydzi postanowili wstąpić do 2 Korpusu Polskiego, aby walczyć z Niemcami, którzy zabijali nasze rodziny i przyjaciół w okupowanej Polsce.

Około trzech tysięcy żołnierzy Żydów, którzy przybyli ze Związku Radzieckiego wraz z 2 Korpusem, opuściło wojsko, aby pozostać w Palestynie — ku niezadowoleniu Brytyjczyków, którzy chcieli ograniczyć imigrację Żydów. Wielu z tych, co pozostali, chcieli walczyć o wolne państwo Izrael i wstąpili do podziemnych żydowskich organizacji militarnych, jak Hagana czy Irgun[3]. Najbardziej znanym wśród nich był Menachem Begin, późniejszy premier Izraela. Niektórzy przenieśli się z Armii Andersa do Brygady Żydowskiej, która potem także została wysłana do Włoch walczyć wspólnie z Brytyjczykami. A inni po obozach sowieckich postanowili poprostu zakończyć swoje wędrówki i osiąść się na stałe w nowym państwie żydowskim.

---

[3] Hagana [hebr., obrona] stanowiła największą nieoficjalną żydowską organizacją militarną założoną w celu obrony osiedli i wspólnot żydowskich przed uzyskaniem niepodległości przez Izrael. Irgun (Irgun Cwaj Leumi) [hebr., narodowa organizacja wojskowa] była podziemną żydowską organizacją militarną, której działalność była wymierzona przeciw siłom brytyjskim kontrolującym Palestynę.

Harvey Sarner ocenia liczbę Żydów, którzy poszli walczyć we Włoszech w 2 Korpusie, na 1300. Artykuł w nowojorskim piśmie Der Tag, cytowany w tej książeczce (s. 12) podaje, że według generała Andersa pod jego dowództwem walczyło 838 żołnierzy Żydów. Na ogół szacuje się, że było ich 1000.

Wkrótce po wstąpieniu do wojska zostałem wysłany do polskiej podchorążówki w Gederze, w Palestynie. Po krótkim szkoleniu popłynęliśmy walczyć do Włoch. My Żydzi żołnierze 2 Korpusu walczyliśmy ramię w ramię z naszymi nieżydowskimi kolegami, z równą determinacją i w bliskiej przyjaźni.

Historie przytoczone w tej książeczce będą może bardziej zrozumiałe, biorąc pod uwagę jaka była rola 2 Korpusu w kampanii włoskiej.

Początkowo walczyliśmy na wybrzeżu adriatyckim. W 1944 r. oddziały polskie zostały przeniesione na tereny pomiędzy Neapolem i Rzymem, aby wziąć udział w bitwie o Monte Cassino. To wzgórze, ze starym katolickim klasztorem na szczycie, miało kluczową strategiczną pozycję, dzięki dominacji umożliwiającą kontrolę dostępu do Rzymu. Monte Cassino stanowiło głowny punkt oporu niemieckiej Linii Gustawa, i było mocno ufortyfikowane.

Kolejne alianckie próby zdobycia Monte Cassino okazały się nieudane. Wreszcie w maju 1944 r. 2 Korpus Polski otrzymał rozkaz ataku na Monte Cassino. Pieszo, atakowaliśmy jedną niemiecką pozycję po drugiej, wspinając się ze skały na skałę po stokach wzgórza. Bitwa trwała cały tydzień, ale wreszcie 18 maja 1944 r. Monte Cassino zostało wzięte. Dzięki temu oddziały amerykańskie w Anzio zostały uwolnione, a droga na Rzym — otwarta.

Straty, co oczywiste, były bardzo wysokie. U podnóża Monte Cassino założono cmentarz, gdzie z honorami pochowano polskich żołnierzy, którzy padli w boju. Groby żołnierzy wyznania mojżeszowego umieszczone są w sekcji frontowej.

Po bitwie o Monte Cassino 2 Korpus został przeniesiony z powrotem nad Adriatyk gdzie walczyliśmy w Loreto, Ankonie i Bolonii.

W 1945 r., kiedy ta książeczka została wydana, męstwo polskich żołnierzy 2 Korpusu, w tym Żydów i decydujące zwycięstwo pod Monte Cassino były dobrze znane. Jednak z czasem wiele uległo zapomnieniu. Podjąłem się przekładu tej książeczki, ponieważ, jak rabin Rübner, także chciałem upamiętnić Żydów bojowników i uczynić ich udział w wojnie przeciw Hitlerowi lepiej znanym.

Chciałbym podziękować dr Eleonorze Bergman, dyrektorowi Żydowskiego Instytutu Historycznego, która podjęła się przygotowania tej książki i poprowadziła świetnie jej redakcję.

Podziękowania należą się nowojorskiej American Society for Jewish Heritage in Poland [Amerykańskie Stowarzyszenie na rzecz Dziedzictwa Żydowskiego w Polsce], z jej przewodniczącą Nancy Brumm, których poparcie finansowe umożliwiło publikację książki.

Specjalne podziękowania kieruję do urodzonej w Ameryce, ale także mającej polsko-żydowskich przodków, mojej żony Fay, która nawet nauczyła się języka polskiego i dzieliła ze mną trud redakcji tego przekładu.

Julian J. Bussgang

Translator's Note

As a soldier of the Free Polish Forces under the Allied command during World War II, I received this booklet, *Polish Jew-Polish Soldier*, after the end of the war. This little known historical document is a collection of essays, written by non-Jews as well as Jews, about the role of Jewish soldiers and resistance fighters during World War II. It was issued in 1945 by Rabbi Dr. Natan Rübner, head rabbi of the Polish Second Corps, the so-called Anders Army, named after its commander, Polish General Władysław Anders.[1]

The Polish army was formed in the Soviet Union after the German invasion of the USSR in 1941. After the USSR was attacked, Stalin turned to Great Britain for assistance with military equipment. As part of the changed political situation, the Soviet foreign minister, Majski, traveled to London and made an agreement that Polish political prisoners in the USSR—who had been deported during the Soviet occupation of eastern Poland—would be released from forced-labor camps and allowed to join a newly-formed Polish army under the leadership of General Anders. The Anders Army numbered between 65,000 and 75,000 soldiers, among whom were approximately 4,200 Jews (approx. 6%).[2] In 1942, General Anders, his soldiers, and their families were allowed to leave the Soviet Union, making their way through Iran and Iraq and then on to Palestine and

---

[1] General Władysław Anders (1892–1970), a Polish general before World War II, was first imprisoned by the Soviets but then released in 1941 to become the commander of the Polish Second Corps.

[2] An excellent account about the formation of the Polish army in the USSR and its Jewish soldiers can be found in Harvey Sarner, *Gerneral Anders and the Soldiers of the Second Polish Corps* (Cathedral City, CA: Brunswick Press, 1997), 135–36.

Egypt—then all under British control. The Anders Army was then officially named the Polish Second Corps and became a part of the British Eighth Army.

At that time, my family and I were already in Palestine. We were fortunate to have escaped both the German and the Soviet occupations of Poland by crossing the Romanian border on September 17, 1939. Having gone south to avoid the bombardments of the city of Lwów, we came by chance upon the motorcade evacuating Polish government officials from Warsaw, and my parents decided to follow them to Romania. Later, we managed to make our way to Palestine. Many other Polish refugees who had been in Romania— mostly Catholic, some Jewish—arrived in Palestine shortly afterward, evacuated by the British from Romania because it was falling under German control.

Toward the end of 1940, a special Polish school was organized in Tel Aviv to serve the arriving Polish refugee children. Upon graduation, virtually all the male students of our high school, Christians and Jews, chose to join the Polish Second Corps—which had arrived in Palestine in 1942—in order to fight the Germans, who were annihilating our families and friends in occupied Poland.

Approximately three thousand of the Jewish soldiers who had come from the Soviet Union with the Second Corps left the Army to stay in Palestine—to the dismay of the British who wished to limit Jewish immigration there. Many of these, wanting to fight for a free Israeli state, joined the clandestine Jewish military organizations Haganah[3] or Irgun.[4] Best known among them was Menachem Begin, who later became prime minister of Israel. Others switched from the Anders Army to the Jewish Brigade, which was later also sent to Italy to fight alongside the British. Of course, some, weary after their life in Russian *gulag* camps[5] decided simply to stop their wanderings and make their home in the new Jewish state.

[3] *Haganah* [Defense] was the largest unofficial Jewish military force organized to protect Jewish settlements and communities before Israeli independence.

[4] *Irgun [Irgun Tzwei Leumi—*National Military Organization] was the underground, Jewish military organization directed against the British forces that controlled Palestine.

[5] *Gulag (Glavnoe upravlenye ispravitel'no-trudovykh lagerey)* [Chief administration of correctional labor camps]—harsh Soviet forced-labor camps, mainly in Siberia.

Harvey Sarner estimates the number of Jews in the Second Corps who went from the Middle East to fight in Italy as 1,300. An article from the New York Jewish daily *Der Tag,*[6] cited in this booklet, quotes General Anders as saying 838 Jewish soldiers fought under his command in Italy. However, the generally accepted estimate is around 1,000.

Shortly following my enlistment, I was sent to a Polish officers' school in Gedera, Palestine, and after brief training, shipped to fight in Italy. We the Jewish soldiers in the Polish Second Corps fought alongside our non-Jewish colleagues with equal determination and in close camaraderie.

The stories told in this booklet can perhaps be better understood with a little background about the role played by the Second Corps in the Italian Campaign.

Initially, we fought along the Adriatic coast. In 1944, the Polish troops were shifted over to the area between Naples and Rome to take part in the Battle of Monte Cassino. The Monte Cassino mountain, with its ancient Roman Catholic monastery at the top, was the key strategic position that dominated and controlled the approach to Rome. Monte Cassino was the anchor of the German Gustav Defense Line, and was heavily fortified.

Repeated Allied attempts to capture Monte Cassino were unsuccessful. Finally, in May 1944, the Polish Second Corps, all turned into infantry, was given orders to attack Monte Cassino. On foot, we stormed one German position after another, climbing from rock to rock on the slopes of the mountain. The battle took a full week, but by May 18, 1943, Monte Cassino was finally taken. As a result, the American troops at Anzio were freed, and the road to Rome was opened.

Casualties were understandably high. A cemetery was established at the foot of Monte Cassino to honor the Polish soldiers who fell in battle, with a special section for Jewish soldiers. After Monte Cassino, the Second Corps was moved back toward the Adriatic. We fought at Loreto, Ancona, and Bologna. The Polish cemeteries in those cities also have sections of Jewish soldiers who fell in battle.

In 1945, when this booklet was issued, the bravery of the Polish soldiers of the Second Corps, including the Jewish ones, and the

---

[6] See note 18.

decisive victory at Monte Cassino were well known. However, with time, much has been forgotten.

I undertook to translate this booklet because, like Rabbi Rübner, I too want to commemorate the Jewish fighters and make their participation in the war against Hitler better known.

I want to thank Dr. Eleonora Bergman, director of the Jewish Historical Institute, who oversaw the preparation of this book and made many excellent editorial suggestions. Thanks are also due to the American Society for Jewish Heritage in Poland of New York (Nancy Brumm, president), which so generously agreed to finance this publication.

My special thanks go to my American-born wife, Fay, who also has Polish-Jewish roots, and has even learned Polish, and who shared the task by helping edit this translation.

Julian J. Bussgang

Życiorys Tłumacza

Julian Bussgang urodził się w 1925 r. we Lwowie, w Polsce (obecnie Lviv na Ukrainie). W połowie września 1939 r., wraz z rodzicami i siostrą, przedostał się do Rumunii, a stamtąd do Palestyny. Po ukończeniu średniej szkoły dla uchodźców w Tel Awiwie wstąpił do 2. Korpusu i walczył w kampanii włoskiej, biorąc udział m.in. w bitwie o Monte Cassino. Przybył do Stanów Zjednoczonych w 1949 r.

Bussgang uzyskał dyplom inżyniera po ukończeniu studiów na Uniwersytecie Londyńskim, stopień magistra inżyniera elektryka w Massachussets Institute of Technology, a stopień doktora fizyki stosowanej na Universytecie Harvarda. Po przejściu na emeryturę w przemyśle elektronicznym pracował w Warszawie i Krakowie jako wolontariusz amerykańskiej organizacji IESC (International Executive Service Corps) [Międzynarodowy ochotniczy korpus kierowników] pomagający w prywatyzacji firm polskich.

Bussgang, wraz z żoną Fay, wspólnie przetłumaczyli dwa tomy relacji osób mieszkających obecnie w Polsce, które ocalały z Zagłady jako dzieci. Relacje te zostały opublikowane w książce *The Last Eyewitnesses: Children of the Holocaust Speak...* [Ostatni naoczni świadkowie: Dzieci Holokaustu mówią...], Northwestern University Press (1998 & 2005). Bussgang jest też autorem artykułów „The Progressive Synagogue in Lwów" [Synagoga Postępowa we Lwowie] opublikowany w *Polin: Studies in Polish Jewry*, Littman Library of Jewish Civilization, tom 11 (1998), s. 127–153, oraz „Metropolitan Sheptytsky: a Reassessment" [Metropolita Szeptycki: Ponowna ocena], *Polin*, tom 21 (2008), s. 401–425.

Biography of Translator

Julian Bussgang was born in 1925 in Lwów, Poland, now Lviv, Ukraine. In mid-September 1939, he fled with his parents and sister to Romania and then to Palestine. After finishing a Polish refugee high school in Tel Aviv, he joined the Polish 2nd Corps and fought in the Italian campaign, including the Battle of Monte Cassino. He came to the United States in 1949.

Bussgang received his B.Sc. from University of London, MSEE from MIT, and Ph.D. in Applied Physics from Harvard. After retirement from the electronics industry, he served in Warsaw and Kraków as a volunteer with the American organization IESC (International Executive Service Corps), helping privatize Polish industrial firms.

Bussgang and his wife, Fay, have translated two volumes of wartime accounts of children of the Holocaust still living in Poland, *The Last Eyewitnesses: Children of the Holocaust Speak* [*Dzieci Holocaustu Mówią . . .*], Northwestern University Press (1998 & 2005). Bussgang is the author of "The Progressive Synagogue in Lwów" in *Polin: Studies in Polish Jewry,* vol. 11 (1998), 127–53, Littman Library of Jewish Civilization; and "Metropolitan Sheptytsky: a Reassessment" in *Polin,* vol. 21 (2008), 401–25.

Wybrana bibliografia / Selected Bibliography
dla / for
Żyd polski – żołnierz polski
Polish Jew – Polish Soldier

Ainsztein, Reuben, *Jewish Resistance in Nazi–occupied Eastern Europe*. London: Elek, 1974.

Arnold, Henryk, "Z bronią w ręku." *Dzieci Holocaustu mówią.* Tom 2. Pod redakcją Jakub Gutenbaum & Agnieszka Latała. Warszawa: Stowarzyszenie Dzieci Holocaustu w Polsce, 2001.
English edition: "With Weapon in Hand." *The Last Eyewitnesses: Children of the Holocaust Speak.* Vol. 2.Translated by Julian and Fay Bussgang and Simon Cygielski. Evanston, IL: Northwestern University Press, 2005.

Bartosz, Marzec, "Rozmowa z dr. hab. Andrzejem Żbikowskim z Żydowskiego Instytutu Historycznego w Warszawie" [Conversation with Dr. Andrzej Żbikowski of the Jewish Historical Institute in Warsaw]. *Rzeczpospolita*, 18-04-2008.

Biegański, Witold, *Polskie Siły Zbrojne na Zachodzie, 1939–1945 [Polish Armed Forces in the West, 1939–1945]*. Warszawa: Krajowa Agencja Wydawnicza, 1990.

Bukalska, Patrycja, *Rysiek z Kedywu. Niezwykłe losy Stanisława Aronsona [Rysiek from Kedyw. Unusual experiences of Stanisław Aronson]*. Kraków: Znak, 2009. (Kedyw–abbreviation of *Kierownictwo dywersji*, the sabotage and special actions department of the Home Army.)

Cholawski, Shalom, *Soldiers from the Ghetto: The First Uprising Against the Nazis*. San Diego: A.S. Barnes, 1980.

Cukierman, Icchak "Antek," *Sheva ha-shanim ha-hen*. Israel: Ghetto Fighters' House, 1990.

<u>English edition</u>: Zuckerman, Yitzhak, *A Surplus of Memory: Chronicle of the Warsaw Ghetto Uprising*. Translated and edited by Barbara Harshav. University of California Press, 1993.
<u>Wydanie polskie</u>: Cukierman, Icchak "Antek," *Nadmiar pamięci (siedem owych lat)*. *Wspomnienia 1939-1946*. Tłumaczenie Zoja Perelmuter. Warszawa: Wydawnictwo Naukowe PWN, 2000.

Datner Szymon, "Na polu chwały: Żydzi żołnierze 1 i 2 Armii Wojska Polskiego polegli w II wojnie światowej" [On the field of glory: Jewish soldiers of the 1st and 2nd Polish Armies killed in World War II]. *Biuletyn Żydowskiego Instytutu Historycznego* [*Bulletin of the Jewish Historical Institute*] 128 (1983): 25–56; 139–40 (1986): 53–71.

Duffy, Peter, *The Bielski Brothers*. New York: HarperCollins, 2004.

Dunin-Wilczyński, Zbigniew, *Wojsko polskie w Iraku, 1942–1943* [*The Polish army in Iraq, 1942–1943*]. Warszawa: Muzeum Niepodległości, 1993.

Gelman, Charles, *Do Not Go Gentle: A Memoir of Jewish Resistance in Poland, 1941–1945*. Hamden, CT: Archon Books, 1989.

Grupińska, Anka, *Ciągle po kole. Rozmowy z żołnierzami getta warszawskiego* [*Round and round. Conversations with soldiers of the Warsaw ghetto*]. Warszawa: Twój Styl, 2000.

Gutman, Israel, "Jews in General Anders' Army in the Soviet Union". In *Yad Vashem Studies on the European Jewish Catastrophe and Resistance*. Vol. 12. Jerusalem: 1977.

———, *The Jews of Warsaw, 1939–1943: Ghetto, Underground, Revolt*. Translated by Ina Friedman. Bloomington, IN: Indiana University Press, 1982.
Wydanie polskie: *Żydzi warszawscy 1939–1943. Getto – podziemie – walka*. Oficyna Wydawnicza RYTM, Uniwersytet Warszawski, Centrum Badania i Nauczania Dziejów i Kultury Żydów w Polsce im. Mordechaja Anielewicza, Fundacja Jacka Fliderbauma, Warszawa 1993
———, *Resistance: The Warsaw Ghetto Uprising*. Boston: Houghton Mifflin, 1994.

———, *Fighters Among the Ruins: The Story of Jewish Heroism During World War II* [*Historia bohaterstwa Żydów, druga wojna światowa*]. Washington, D.C.: B'nai B'rith Books, 1988.

Iranek-Osmecki, Kazimierz, *Kto ratuje jedno życie... Polacy i Żydzi, 1939–1945*.
London: Studium Polski Podziemnej-SPP, 1968; Warszawa: Instytut Pamięci
Narodowej, 2009.
English edition: *He Who Saves One Life*. New York: Crown Publishers,
1971.

Kartchever, Shaul, *Im ha-divizyah ha-shelishit 'al shem Traugut: Yomano shel
khayal Yehudi ba-tsava ha-Polani ha-amami* [*Z Trzecią Dywizją
"Traugutta": Dziennik żydowskiego żołnierza w Polskiej Armii Ludowej*]
[*With the Third Division "Traugutt": The diary of a Jewish soldier in the
Polish People's Army*]. Jerusalem: Yad Vashem, 1962.

Korboński, Stefan, *The Jews and the Poles in World War II*. New York:
Hippocrene Books, 1989.
Wydanie polskie: *Polacy, Żydzi i Holocaust*. Warszawa: Wydawnictwo
Antyk, 1999.

Kowalski, Isaac, editor, *Anthology of Armed Jewish Resistance, 1939–1945*.
4 vols. Brooklyn, NY: Jewish Combatants Publishers House, 1985–1992.

Krakowski, Shmuel, *The War of the Doomed: Jewish Armed Resistance in
Poland, 1942–1944* (in Hebrew). Translated by Orah Blaustein. New
York/London: Holmes & Meier, 1984.

Kunert, Andrzej Krzysztof & Andrzej Przewoźnik, redaktorzy [editors], *Żydzi
polscy w służbie Rzeczypospolitej, 1939–1945: wybór źródeł*. Tom 2 [*Polish
Jews in the service of the Republic of Poland, 1939–1945: selected sources*.
Vol. 2]. Warszawa: Rada Ochrony Pamięci Walk i Męczeństwa [Council for
Preserving the Memory of Combat and Martyrdom], 2002.

Marrus, Michael R., *Jewish Resistance to the Holocaust*. London: SAGE
Publications, 1995.

Meirtchak, Benjamin, *Jewish Military Casualties in the Polish Army in World
War II*. 5 vols. Tel Aviv: Association of Jewish War Veterans of Polish Armies
in Israel, 1994–99.
Wydanie polskie: *Żydzi–żołnierze wojsk polskich polegli na frontach II
wojny światowej*. Tłumaczenie Zbigniew Rosiński. Warszawa: Bellona,
2001.

————, *Jews-Officers in the Polish Armed Forces, 1939–1945*. Tel Aviv:
Association of Jewish War Veterans of Polish Armies in Israel, 2001.

Mushkat, Marion, editor, *Lohamim Yehudim ba-milhamah neged ha-Natzim: Yehudim be-khobot Ba'alot ha-berit be-Milhemet ha-olam ha-sheniyah, kovets ma'amarim ve-zikhronot* [*Bojownicy żydowscy w walce przeciwko hitlerowcom: Żydzi w siłach alianckich w czasie II wojny światowej*] [*Jewish fighters in the war against the Nazis: Jews in the Allied Forces in World War II*]. Tel-Aviv: Association of World War II Veterans in Israel, Sifriat Poalim, 1971.

Oddział Kultury i Prasy II Korpusu Armii Polskiej [Department of Culture and Press of the Second Corps of the Polish Army]. *Spis poległych żołnierzy pochowanych na cmentarzu Monte Cassino* [*List of fallen soldiers buried in the cemetery at Monte Cassino*]. Oddz. Kultury i Prasy II Korpusu A.P.: Rzym [Rome]: 1946.

Pilichowski, Czesław, *Obozy hitlerowskie na ziemiach polskich, 1939–1945. Informator encyklopedyczny* [*Nazi camps on Polish Lands, 1939–1945. An encyclopedic guidebook*]. Warszawa: PWN, 1979.

Rosengarten, Pinkas, *Mi-yomano shel rav Tzevai: be-kheil ha-korpus ha-polani ha-sheni al shem General Anders Wladyslaw bishnot milkhemet ha-olam ha-shniya. Hotsa'at ha-mekhaber.* Jerusalem: 1998.
Wydanie polskie: *Zapiski rabina wojska polskiego* [*Memoirs of a rabbi of the Polish army*]. Tłumaczenie [translation] Jarosław Kociszewski. Warszawa: Pamięć Diaspory, 2001.

Rotem, Simcha "Kazik," *Wspomnienia bojowca ŻOB* [*Memoirs of a fighter of the Jewish Fighting Organization*]. Warszawa: Polskie Wydawnictwo Naukowe, 1993.

Sarner, Harvey, *General Anders and the Soldiers of the Second Polish Corps.* Cathedral City, CA: Brunswick Press, 1997.

Schochet, Simon, "Próby identyfikacji oficerów wojska polskiego narodowości żydowskiej zamordowanych w Katyniu" [Attempts to identify Polish army officers of Jewish descent murdered in Katyń]. W [in] *Świat niepożegnany. Żydzi na dawnych ziemiach wschodnich Rzeczypospolitej w XVIII–XX wieku* [A world we bade no farewell. Jews on the former eastern lands of the Polish Republic in the 18th to 20th centuries]. Pod redakcją [edited by] Krzysztof Jasiewicz. Warszawa/London: Instytut Studiów Politycznych PAN, RYTM/Polonia Aid Foundation, 2004.

Szaniawski, Henryk, "Żydzi w szeregach wojska polskiego w walce o wyzwolenie Polski w latach 1939–1945" [Jews in the ranks of the Polish army in the battle to liberate Poland in the years 1939–1945]. W [in] Czesław Grzelak, Henryk Stańczyk, i Stefan Zwoliński, *Armia Berlinga i Żymierskiego* [*Army of Berling and Żymierski*]. Warszawa: Neriton, 2002.

Tec, Nechama, *Defiance: The Bielski Partisans*. New York: Oxford University Press, 1993.

Wańkowicz, Melchior, *Bitwa o Monte Cassino*. 3 tomy. [*Battle of Monte Cassino*. 3 vols.]. Warszawa: Ministerstwo Obrony Narodowej [Polish Ministry of Defense], 1989.

Weiss, Szewach, "Za naszą i waszą wolność" [For our freedom and yours]. *Wprost*, no. 16 (2004), 1116.

Zuckerman, Yitzhak (see Cukierman, Icchak).

Uwagi na temat Bibliografii:
Tytuły książek lub artykułów nie zawsze mówią, co jest ich treścią. Poniżej dodajemy nieco informacji, które mogą się przydać Czytelnikom: **Szewach Weiss** wskazuje, że 130 tysięcy Żydów znalazło się w składzie armii polskiej na początku wojny; spośród nich 32 tysiące zostało rannych lub zabitych, a 34 do 64 tysięcy wziętych do niewoli. **Icchak Cukierman** był jednym z przywódców Żydowskiej Organizacji Bojowej (ŻOB); jego wspomnienia należą do najważniejszych świadectw. Książka **Henryka Arnold**a to pamiętnik Żyda, który w młodym wieku brał udział w Powstaniu Warszawskim. Historyk prof. **Żbikowski** przypomina o wspólnych walkach Żydów i Polaków katolików w czasie wojny. **Stefan Korboński**, jeden z przywódców Polski Podziemnej w swoich wspomnieniach mówi o żydowskich oddziałach partyzanckich. **Iranek-Osmecki** włączył do swojej książki informacje o udziale Żydów w AK. **Harvey Sarner** omawia organizację Armii Andersa i udział w niej żołnierzy Żydów. **Rabin Rosengarten** opisuje swoje doświadczenia na stanowisku kapelana 3. Dywizji (Karpackiej) Armii Andersa. Spisy żołnierzy Żydów w Wojsku Polskim **Beniamin Meirtchak** sporządził na podstawie napisów na różnych cmentarzach.

Comments on Bibliography:
The titles of books or articles do not always inform about the contents. Here is some additional information which can be useful for a Reader: **Szewach Weiss** discusses that 130,000 Jews reported into the Polish Army when the war broke out and that 32,000 were wounded or killed, and that 34,000 to 64,000 were taken as prisoners-of-war. **Icchak Cukierman** was one of the leaders of the Jewish Fighting Organization (ŻOB); his memoir is one of the most important testimonies. The account by **Henryk Arnold** is a memoir of Jew who at a young age fought in the Warsaw Rising in 1944. Historian prof. **Żbikowski** comments

on the participation of Jews in fighting along with Polish Catholics during the war. **Stefan Korboński**, one of the leaders of the Polish Underground in his memoir comments on the Jewish partisan units. **Iranek-Osmecki** includes in his book some discussion of the participation of the Jewish members in the Home Army (AK). **Harvey Sarner** includes discussion of the organization of the Anders Army and involvement of Jewish soldiers. **Rabbi Rosengarten** described his experience as a chaplain of the 3rd Division (Karpacka) of the Polish Second Corps (Army of General Anders). **Beniamin Meirtchak**'s lists the names of the fallen Jewish soldiers of the Polish Army based on a survey of different cemetries.